図解
「すぐやる人」のノート術

Secrets of active note taking skills

誰もが使ったことのある身近なノートが、あなたの行動力をどんどん高めてくれる

「すぐやる人」は、自分を動かす仕組みを持っている

できる人は、行動が速いです。先延ばしをしたり、行動が遅い人に成果を出せる人はいません。でも、成果が大きく変わることを思い知りました。

私は学生時代、相当な勉強嫌いで、偏差値が30台だったこともありました。「何もしたくない」「だるい」「面倒」といった言葉が毎日どこまでに行動的に生まれ変わることができたのか?

それは、ノートによって、先延ばしのサイクルを断ち切ったからです。断ち切った瞬間から、どんどん行動的になり、毎日が楽しくなったのです。

『マイケル・ジャクソン THIS IS IT』のディレクター・振付師であるトラヴィス・ペイン氏をはじめ、世界的なエンターテイナーの通訳をしたりと、幅広いビジネスを手がけられるようになりました。

無気力だった私が、なぜこれほどまでに行動的に生まれ変わることができたのか?

それは、ノートによって、先延ばしのサイクルを断ち切ったからです。断ち切った瞬間から、どんどん行動的になり、毎日が楽しくなったのです。

「すぐやる人」に共通することはなんでしょうか?

それは精神論に頼らず、「自分を動かす仕組み」を持っていることです。「すぐやる人」は、必ずしも意志が強いわけではありません。むしろ、怠け者の自分をいかに行動させるかにこだわっています。

それでも何度も頑張ってやろうと思ってはみるものの、自分を変えられず、自信を失っていました。「どうせ自分なんて」と、無気力になっていたのだと思います。

しかし、そんな私でも英国のケンブリッジ大学大学院へ進学し、卒業後は日本全国の教育機関や企業で研修などを行い、さらに映画

その仕組みを作るうえで、ノートは大きな役割を担っています。ノート1冊で、あなたも「すぐやる人」になることができます。

「すぐやる人」は頭のなかにあるものを書き出すことで、状況や考えを客観的にとらえます。そして、具体的な行動につなげることがうまいのです。

私もノートの作り方を変えただけで、成果が大きく変わることを思い知りました。

行動力を奪う4大原因

そもそも、私たちはなぜ先延ばしをしてしまうのでしょうか?

先延ばしをしたい人はいないでしょう。むしろ、「やろう」と思っていたのにできずに終わってしまったことが多いはずです。

では、行動力を奪う4大原因を1つずつ見ていきましょう。

①やることを把握できていない

これは「しようと思っていたことを忘れてしまう」ことです。

たとえば、何かに取り組んでいるときに、他の人から別のタスクの依頼が来ることがありますよね。やるべきことをきちんと把握しておかないと、「やろうと思っていたのにできなかった」「やるのを忘れた」となってしまうのです。

②思考が整理されていない

頭のなかがごちゃごちゃしてい

ると、行動力が落ちてしまいます。特に多くの情報が飛び込んでくる今の時代は、選択肢が多すぎて1つに絞るのも大変です。

「あれもこれもいい。でもあれは○○のリスクが、これは□□のリスクがある」と考えすぎてしまい、行動がとれなくなるのです。

③モヤモヤして気乗りしない

気持ちの整理ができていないときも、行動力は低下します。

人間は感情の生き物です。いくら合理的に判断しようとしても、心が「NO!」と言うこともあります。「やらないといけないとわかっているけど、やりたくない」と思うことは自然なのです。

④するべきことに追われている

「やらないといけない」ことへの行動力はあるけれど、「やりたいこと」を後回しにしてしまうパターンです。

緊急度が高いタスクが数多くあり、それに日々追われて「あれも始めないといけないのに」と思いながらも、ずっと手をつけられない……。このような状態では、ただ追われているだけで、豊かな人生から遠ざかってしまいます。

先延ばしをして いいことは1つもない

先延ばしによるデメリットは、主に3つあります。

①自信を失う

「またできなかった……」というイメージが刷り込まれると、人は自信を失ってしまいます。

心理学で「学習性無力感」と呼ばれるもので、先延ばしをくり返すと、「どうせ自分にはできない」「自分はダメ人間だ」という思考癖が染みついてしまうのです。

②信用を失う

仕事において、特にスピードは重要です。スピード感のある仕事ができれば、信用につながります。

ですが「メールの返信が遅い」「期限を守らない」「決断ができない」といったスピードの遅い仕事では、信用は失われるばかりです。

③チャンスを逃す

せっかくチャンスが巡ってきても、「やろうかな、でもやっぱり無理かな」と決断ができず優柔不断なまま……。これは、成功したい人にとっては愚の骨頂です。

チャンスボールが来ても見送ってしまっていては、大きな成功をつかむことはないでしょう。

身近なノートが 行動力を高めてくれる

これらのデメリットを解消する方法としてオススメしたいのが、本書で紹介するノート術です。

「ノートだけで?」と思うかもしれませんが、誰もが使ったことのある身近なノートが、あなたの行動力をどんどん高めてくれることでしょう。難しいテクニックではありませんので、1つずつ取り組んでいけば、その効果をすぐに感じてもらえると思います。

今という時間は、今しかありません。今すぐやるか、それともまた先延ばしをしてしまうかで、明日のあなたが変わります。今のあなたは、これまでのあなたの行動の結果だからです。

「先延ばしをして、やろうと思っていてもすぐやれない」という行動パターンが染みついているのならば、ぜひ本書を読んで、実践してください。

あなたが先延ばし癖をなくし、行動力を高めることがこのノート術のゴールです。しかし、「時間を有効活用する術を身につけて、ゆとりある毎日を送れるようになること」が、そのゴール以上の本書の最大の目的です。

目の前にあることに追われてばかりの毎日ではなく、時間の余裕を生み出して、あなたがやりたいことに時間を使えるようになってほしいのです。

家族と過ごす時間を増やしたり、旅に出たり……。そういったことにたっぷりと時間を使えたら、心にも余裕ができます。そんな思いから本書を執筆しました。

本書を通して、あなたの今が、もっともっと豊かなものになることを願っております。

塚本 亮

CONTENTS

CHAPTER 3 1日5分で行動を加速させる! [リフレクションノート]

CHAPTER 4 打ち合わせ・会議・勉強会で役立つ! [トリニティノート]

CHAPTER 5 モヤモヤを解消して心を軽くする！［クレンジングノート］

CHAPTER 6 もっと行動したくなる！［トリガーノート］

COLUMN

● カバーデザイン／石川清香（Isshiki）　● 本文デザイン・DTP／斎藤 充（クロロス）
● 編集協力／藤吉 豊（クロロス）、斎藤菜穂子　● 校正／鷗来堂

CHAPTER

1

ノート1冊で時間が3倍になる!

Secrets of active note taking skills

「あれもこれもやらないと」に追われては集中できない！

集中できない状態①「内部要因＝あなたの精神状態」

やることがいっぱいで不安
失敗に終わりそうで怖い
やってしまった後悔
あれもこれもやらないといけない…
できるかな？どうしたらいいだろう？

頭のなかが不安でいっぱいだと、気が散って行動できない

マルチタスクの罠にはまらないように！

「あれもこれもやらないと」。バタバタしながら働いた1日なのに達成感がなく、時間がどこに消えてしまったのかよくわからないといった経験、ありませんか？

私たちは気をつけないと、「やること」に追われすぎて、あれもこれもと思っているうちに、マルチタスクの罠にはまってしまいます。

私はタスクホッパーと呼んでいますが、バッタ（英語でグラスホッパー）のようにあちこちのタスクに手をつけていては、目の前のことにさえ集中できない状態になりかねません。

「バタバタして何かをこなしているのに、たいしてうまくいかない」

「ミスが増えて人に迷惑をかけてしまう」

なんてことになり、このままでは無気力になってしまいます。

すぐやる人はマルチタスクは能率が落ちるということを理解していて、１つひとつのタスクに全力で取り組みます。まず、そのことを覚えておいてください。

目の前のタスクに集中できるノート術

気が散る要因には、内部要因と外部要因があります。

内部要因とは、あなた自身のこと。頭のなかがやることでいっぱいだと、気が散って行動できません。いつも何かに追われているような気がしてしまいます。

外部要因とは、誰かが声をかけた、電話が鳴ったとか、スマホに通知が来たなど、他者からの影響のこと。一度集中力が削がれると、再び集中モードに戻すのに、15分も必要になることが脳科学の研究でわかっています。一度集中が切れると、やる気の低下につながってしまうのです。

そこで、集中が切れないように、すぐやる人が工夫していることを紹介しましょう。

まず、内部要因で頭が散らかった状態にならないように、すぐやる人は**頭のなかを空っぽにしています。**また、誰かに声をかけられても、電話やスマホの通知が鳴っても、**とにかく外部要因に動じない仕組みを持っています。**

これらを撃退する工夫は、とてもシンプルで難しく考える必要はありません。

私は注意散漫で、中学生のときの三者面談で、担任から「塚本君はいつもアンテナが立っていて集中できないね」と言われていました。しかし今は目の前のことに集中できるようになり、小さいながらも会社を経営しつつ、多くの仕事をサクサク進められるようになったのです。あなたも必ずできるようになります。

CHAPTER1と2で紹介するノート術は、まさにこの原因を撃退して、**目の前のタスクに集中することができるようになった、仕組みそのものです。**

「やること」に追われるのではなく、自分でコントロールしながらサクサク進められるようになるので、仕事もプライベートも充実します。

それでは早速、ノート術をご紹介しましょう。

集中できない状態②「外部要因＝他者からの影響」

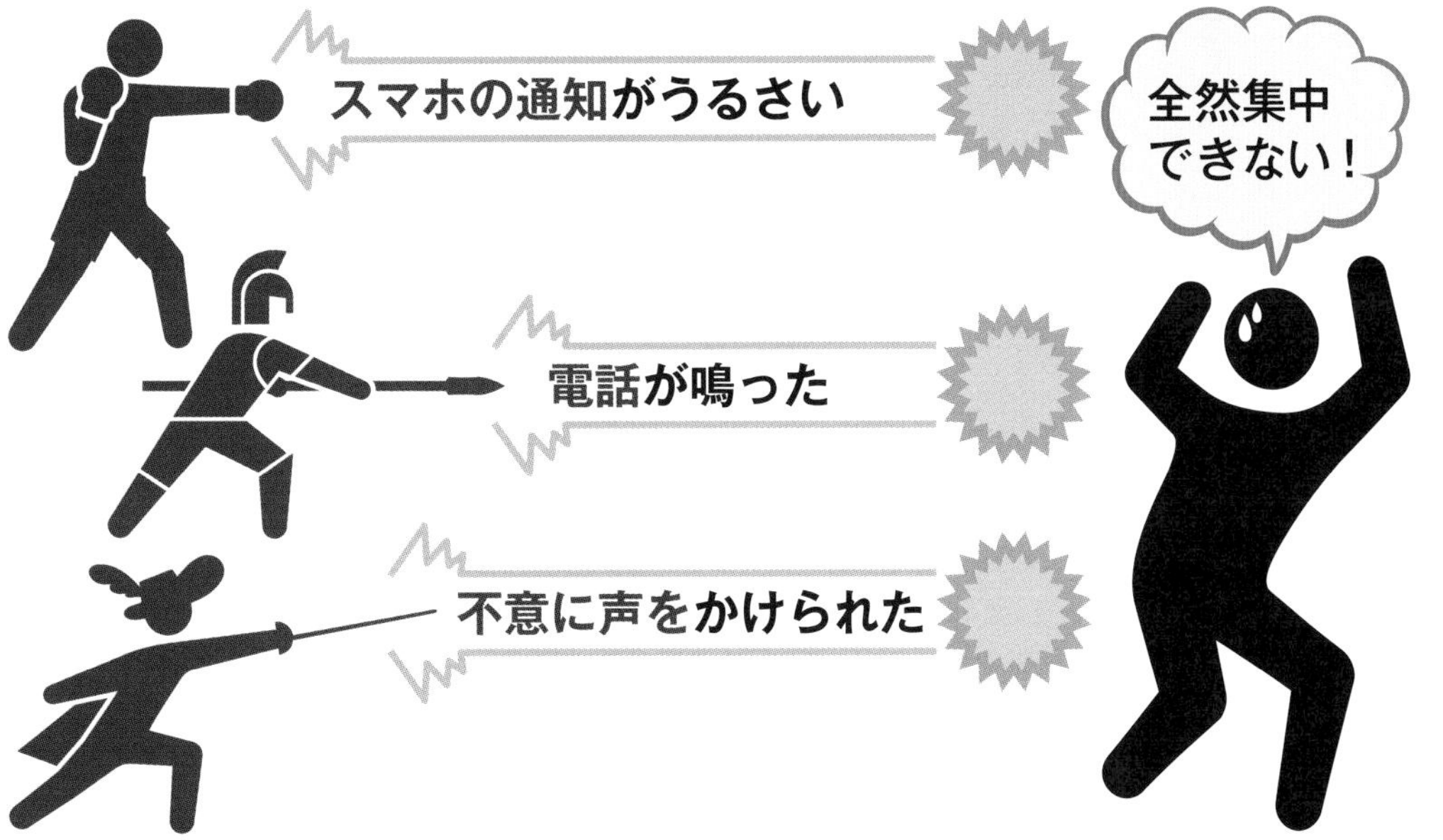
スマホの通知がうるさい
電話が鳴った
不意に声をかけられた
全然集中
できない！

一度集中が切れると、やる気の低下につながってしまう

「タスコンノート」で仕事がサクサク進む

タスクに振り回されないようになるノート

タスコンノートとは、「タスクをコンプリートさせるノート」のことです。Ａ４サイズのノート１枚（コピー用紙でもＯＫ）を横向きに使って、１日のタスクを１つずつ付せんに書き入れ、マネジメントしていきます。

　下図のようにノート１枚を４分割して、左から、午前、午後、夜、予備スペースとします。その日のスケジュールで動かせないものをまずノート上に配置して、空いている時間にそのほかのタスクを落とし込んでいきます。

　タスコンノートのメリットは、**いつも優先順位を考えながらタスクの配置を変えられること**にあります。

　おそらくあなたもそうだと思いますが、次から次へとタスクが降りかかってくるのが、この時代の特徴ですよね。

　突然降ってきたタスクも的確に把握しながら、それをいつするべきか、他に優先してすべきことが

タスコンノートの作り方

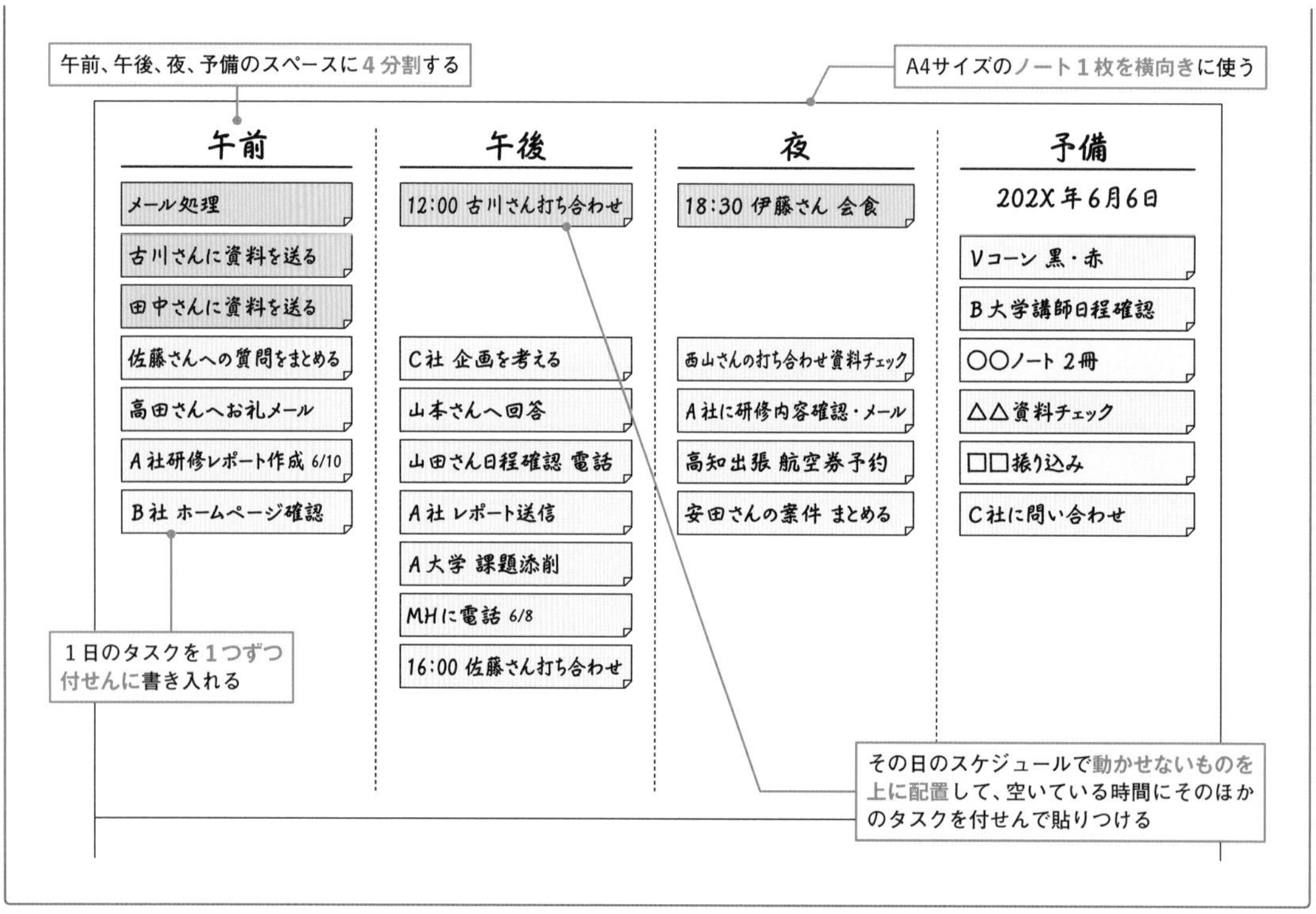
午前、午後、夜、予備のスペースに４分割する
A4サイズのノート１枚を横向きに使う
午前
メール処理
古川さんに資料を送る
田中さんに資料を送る
佐藤さんへの質問をまとめる
高田さんへお礼メール
A社研修レポート作成 6/10
B社 ホームページ確認
午後
12:00 古川さん打ち合わせ
C社 企画を考える
山本さんへ回答
山田さん日程確認 電話
A社 レポート送信
A大学 課題添削
MHに電話 6/8
16:00 佐藤さん打ち合わせ
夜
18:30 伊藤さん 会食
西山さんの打ち合わせ資料チェック
A社に研修内容確認・メール
高知出張 航空券予約
安田さんの案件 まとめる
予備
202X年6月6日
Vコーン 黒・赤
B大学講師日程確認
〇〇ノート 2冊
△△資料チェック
□□振り込み
C社に問い合わせ
１日のタスクを１つずつ付せんに書き入れる
その日のスケジュールで動かせないものを上に配置して、空いている時間にそのほかのタスクを付せんで貼りつける

1日のスケジュールを簡単にコントロールできる!

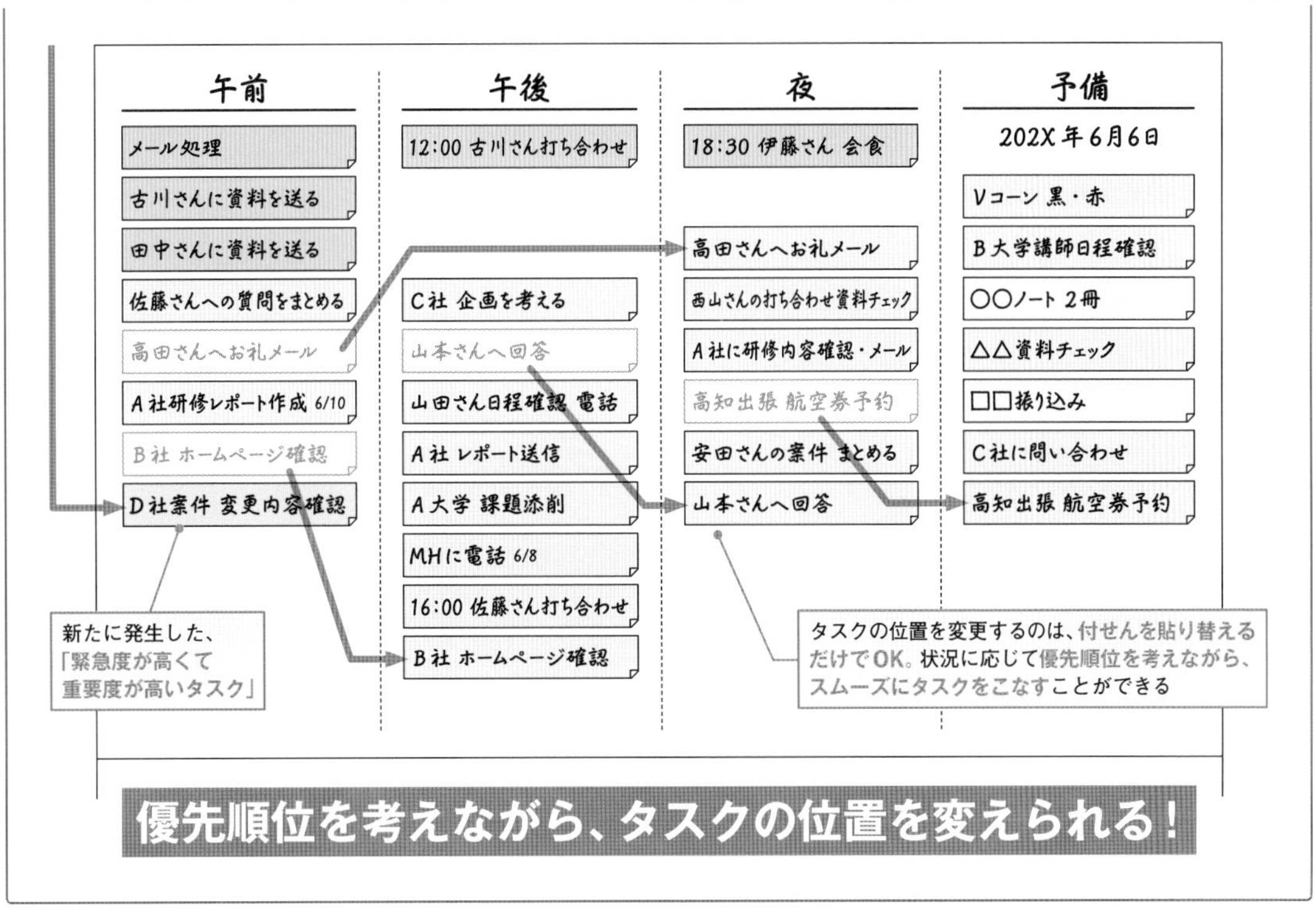
午前
メール処理
古川さんに資料を送る
田中さんに資料を送る
佐藤さんへの質問をまとめる
高田さんへお礼メール
A社研修レポート作成 6/10
B社 ホームページ確認
D社案件 変更内容確認
午後
12:00 古川さん打ち合わせ
C社 企画を考える
山本さんへ回答
山田さん日程確認 電話
A社 レポート送信
A大学 課題添削
MHに電話 6/8
16:00 佐藤さん打ち合わせ
B社 ホームページ確認
夜
18:30 伊藤さん 会食
高田さんへお礼メール
西山さんの打ち合わせ資料チェック
A社に研修内容確認・メール
高知出張 航空券予約
安田さんの案件 まとめる
山本さんへ回答
予備
202X年6月6日
Vコーン 黒・赤
B大学講師日程確認
○○ノート 2冊
△△資料チェック
□□振り込み
C社に問い合わせ
高知出張 航空券予約
新たに発生した、「緊急度が高くて重要度が高いタスク」
タスクの位置を変更するのは、付せんを貼り替えるだけでOK。状況に応じて優先順位を考えながら、スムーズにタスクをこなすことができる
優先順位を考えながら、タスクの位置を変えられる!

ないかを考えていかないと、いつも突然降りかかってきたタスクに振り回されてしまいます。

タスクに振り回されていると、いつまでたっても「緊急度は低いけれど重要度の高い仕事」を前に進めることができません。

優先順位を考えながら、タスクの配置を変える

あなたの仕事の成果を決めるのは、いつも重要度の高いタスクです。なかでも重要なのが、**「緊急度が低く、重要度が高いタスクをいかにしっかりと進めるか」**です。

緊急度も重要度も高い仕事はちゃんと進めることができると思いますが、緊急度が低くて重要度が高いタスクはいかがでしょうか？

緊急度が低いためにしばらく手つかずのままになり、締め切りや期日が近づいてから、重要度が高いために「やばい、どうしよう」となりがちです。

そのため、いつでも優先順位を考えながら、タスクの配置を変えていくのです。

サッカーの試合を観ていると、基本的なフォーメーションがあり、試合の状況を見ながら、それを柔軟に変えていっているのがわかります。たとえば試合の状況が、「残り時間はあと5分で、1対0で逃げ切りたい。相手は攻撃的にきている」となれば、自分のチームの攻撃的な選手を減らして、守備の選手を投入することだって考えなければなりません。

今のような時代は特に、**状況に応じて優先順位を考えながら、やることを進めていくことが重要です。**そして、それに適応しながら、タスクをサクサクこなしていくためのノートが、このタスコンノートです。

上図のように付せんのタスクの位置を簡単に変更でき、1日のスケジュールをコントロールできます。**タスクが思うように進んでいくと、誰でも行動が楽しくなっていきます。**

タスコンノートの具体的な作り方をご紹介する前に、タスコンノートを使うことで得られる5つの効果をご紹介しましょう。

ウソみたいに時短できる

締め切りがあれば、「ダラダラしていられない！」

締め切りを作ると、
時短できる
この仕事は
14時までには
終わらせよう！
今日は早く
終わった！
お先に
失礼
します
締め切りを作らないと、
時間を浪費するだけ
スマホ
見ようっと
この仕事は
後でやれば
いいや…
うわ、
もう20時だ…
うーん、
終わりそうに
ないよ…

時短に効果的な方法は、時間制限を設けること

タスコンノートを活用すると、1日のやることリストが俯瞰できるので、**「これだけのことをこなそうと思ったらダラダラしていられない」**という意識が働くようになるのです。

これは何より時短につながります。**時短に一番効果的な方法は、時間制限を設けること。**私たちは、時間に制限がないといくらでも時間をかけてしまって、気づかない間に浪費してしまうのです。

一方、時間に追われているときは無駄なことを考えなくてすむので、突き進むしかありませんし、早く仕上げようとします。締め切りがあることで、私たちはより高い集中力を発揮できることが、心理学の研究でもわかっています。

また、頭のなかの「やること」を外に出すことで余裕ができるので、目の前のことに集中できます。頭のなかがスッキリしているからこそ、ゾーン（超集中状態）に入ることができるのです。

「仕事が遅い」とは言わせない

レスポンスの早さは安心感につながる

特に、スピード感はとても大事です。仕事ができる人、すぐやる人は時間への意識が高く行動が速いのです。

「メールを返信しようと思っていたのに、タイミングを逃してしまって、今さら返信するのも気が引ける」。こう思って、先延ばしのサイクルにはまってしまった経験はありませんか？　この状態では、相手の信頼を勝ちとるのは難しいと、わかると思います。

一方、レスポンスが早いと相手も仕事がサクサク進むので、「この人と仕事をするのは、安心感がある」と感じてもらいやすくなるものです。

また、このタスコンノートを使えば、目の前にあることに集中できるので、仕事の質も高くなります。それによって同僚や取引先からも信頼感を勝ちとることができるようになり、人間関係がよくなり、仕事へのやりがいを今以上に感じられるようになります。

すぐやる人は、レスポンスが早い

◎ レスポンスが早いと、相手に信頼してもらえる
この仕事をお願いできるかな
はい！
とりあえずできた分だけでも渡そう
ここまでできたから…
しっかりしているな
彼の仕事は安心できるな！
× レスポンスが遅いと、相手は不信感を抱く
この仕事をお願いできるかな
はい
納期ギリギリにやればいいや
まだまだ大丈夫でしょ
ちゃんとやってるのかな？
どこまで進んだ？
すみませんまだです…

「やりたいこと」が どんどんできるようになる

仕事以外のことに時間を使えるようになる

タスコンノートの目的でもあり、最大のメリットでもあるのは、「自分の時間が増える」ことです。何もより多くの仕事をするためだけに、仕事の効率化を目指しているのではありません。

もし、休みの日まで仕事のことで頭がいっぱいになっているとしたら、この機会に考えてみてください。

家族との時間や、趣味、習い事など、仕事以外の大切なことにしっかりと時間を割けるようにしてみませんか？

「やること」をサクサクこなし、仕事以外の「やりたいこと」にしっかりと時間を使えるようにするのが、タスコンのノートの一番の目的なのです。

私もこのノート術を活用するようになったことで、自分の時間を大切にできるようになりました。日々の仕事に追われているだけだと、本当に大切なものが見えなくなってしまうものなのです。

自分の時間を増やして、やりたいことをやろう！

話題の映画を観に行く
英会話を習いに行く
気の合う友人とディナー
資格取得の勉強をする
話題のスイーツを食べる
ジムで身体を鍛える
カフェでお気に入りの本を読む
早く仕事が終われば、やりたいことができる！

気持ちよく「やること」を片づける

タスコンノートがストレスから解放してくれる

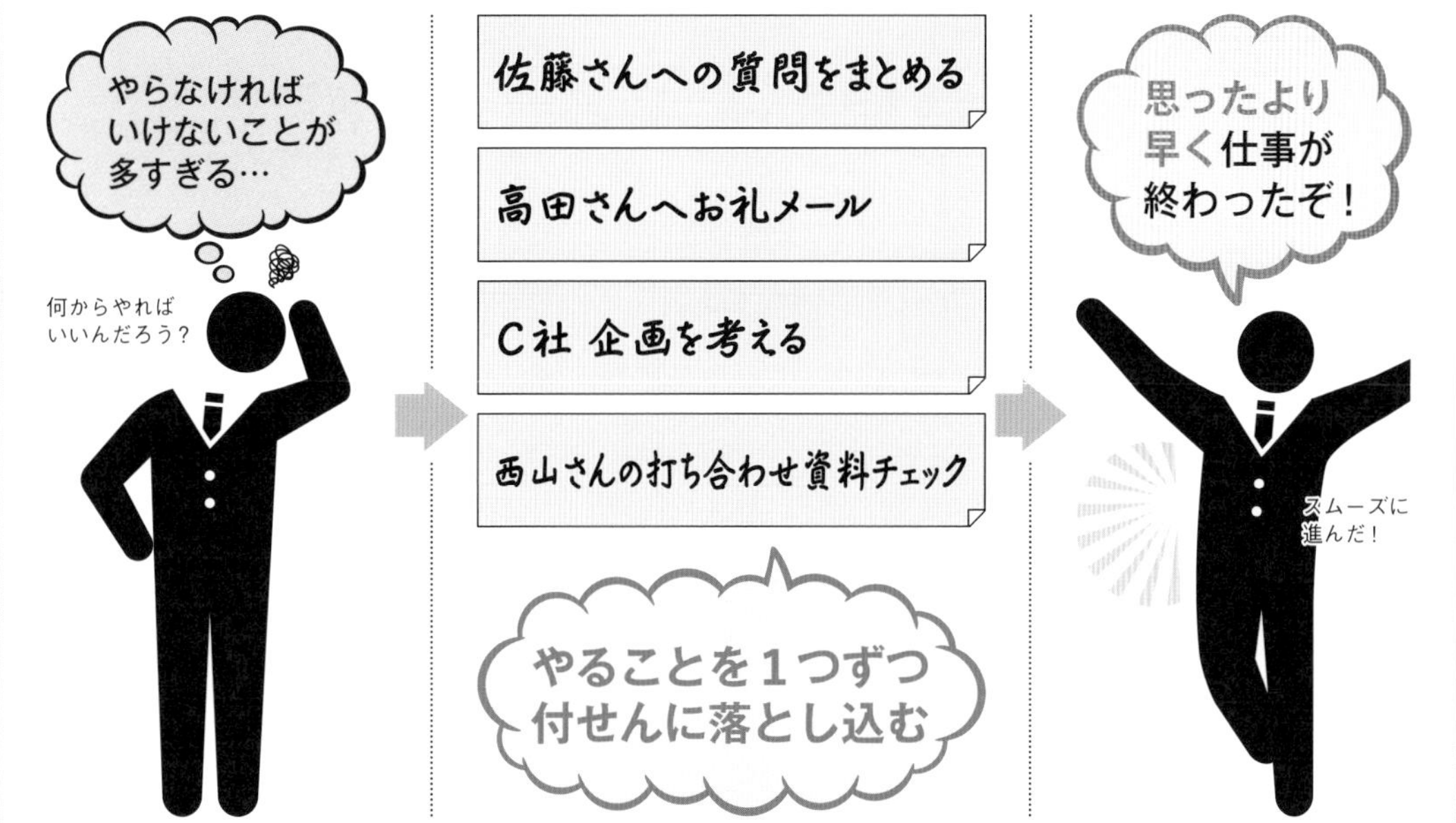
やらなければ
いけないことが
多すぎる…
何からやれば
いいんだろう？
佐藤さんへの質問をまとめる
高田さんへお礼メール
C社 企画を考える
西山さんの打ち合わせ資料チェック
やることを１つずつ
付せんに落とし込む
思ったより
早く仕事が
終わったぞ！
スムーズに
進んだ！

やることを書き出すことで、心に余裕が生まれる

ノートを埋めていくほど、心に余白が生まれる

ストレスから解放されることも、タスコンノート術のポイントです。

ストレスの大半が、「自分に課されたやるべきことがうまく進まない、片づいていない」ことから生じているとさえ言われています。

タスコンノートでは「やること」をどんどん付せんに落とし込んでいきますので、頭のなかに溜まったものを外へ吐き出せば吐き出していくほど、つまりノートを埋めていけばいくほど、心に余白が生まれるわけです。

そしていつでも目に見える形でノートを管理していますので、「しまった、まだあれをやってなかった！」というストレスから解放されます。

私たちは、ものを忘れて当たり前なのです。その前提に立つことが大事で、忘れてしまうことにストレスを感じる必要はありません。「忘れるからこそ、仕組みをしっかりと持てばいい」。それだけの話なのです。

行動こそが自信を生む最強の方法

「自信を持てるようになるポイント」ベスト4

1. 行動の結果、うまくいく　達成体験
2. 他者の成功行動を見聞きする　代理的体験
3. まわりから励ましなどを受ける　言語的説得
4. メンタルを整える　情動的喚起

行動することで自信を持てるようになる

タスコンノートを活用すると、したいと思っていたことややるべきことがサクサクと片づくので、自信が持てるようになります。

カナダの心理学者アルバート・バンデューラは、自分が目標にして取り組んでいることに対して「きっとできる」と感じられることが、モチベーションを保つうえで大切であると指摘しています。つまり、**挫折知らずになるためには、「きっとできる」という感覚を高めることが大事です**。このように目標を達成できると認識する感覚を「自己効力感」と呼びます。

自己効力感を高める方法の1つが、「自分の頑張りによって達成できると感じている」ことです。簡単に言えば、行動したことで自分の行動力に自信が持てるようになるということです。

私たちは行動をすることでしか、自信を持てるようにはなりません。頭で考えるだけでは、自信は生まれないのです。

COLUMN 1

複数の色のペンで行動を整理する

タスコンノートでは黒1色のペンでも問題ありませんが、CHAPTER 3で紹介するリフレクションノートなどでは、**複数の色のペンを使う**といいでしょう。

私の場合は、特に強調したいものや自分に行動を促したいものは赤、ずっと頭に置いておきたい内容は青としています。

色はムードに影響を与えます。赤は活力や情熱をイメージする色で、行動力をかきたてる効果があります。バーゲンやセールの広告やポップに赤い文字が多いのは、赤を入れることで売上が20％前後も違うと、マーケティングの世界では言われているからなのです。つまり、買うという行動を促すことができるわけです。

また、イギリスのダラム大学のラッセル・ヒル教授とロバート・バートン教授の研究によると、着る服の色はアスリートのパフォーマンスに影響を与えるということです。4つのスポーツ競技を研究した結果、赤色のユニフォームを着たほうがよりよいパフォーマンスを発揮することがわかりました。赤い色が、アスリートに活力を与えるということなのです。

赤ペンを使って、読書から仕入れた情報をどのように生活や仕事に活かすのかを行動ベースで書き込んでいく習慣をつければ、**今以上に読書が効果を発揮することでしょう。**

情報や勉強の内容をまとめたり、暗記したりするときには、青ペンが効果的であると言われています。**青色は心身を落ちつかせて集中力を高める効果を持つ色**なので、単純作業などに適しています。

つまり、**行動力を高めるためには赤、思考の整理をするときには青を使い分けることで、ノートの効果を高めることができる**のです。

行動力の赤、思考整理の青のように、色は私たちにさまざまな影響を与えます。

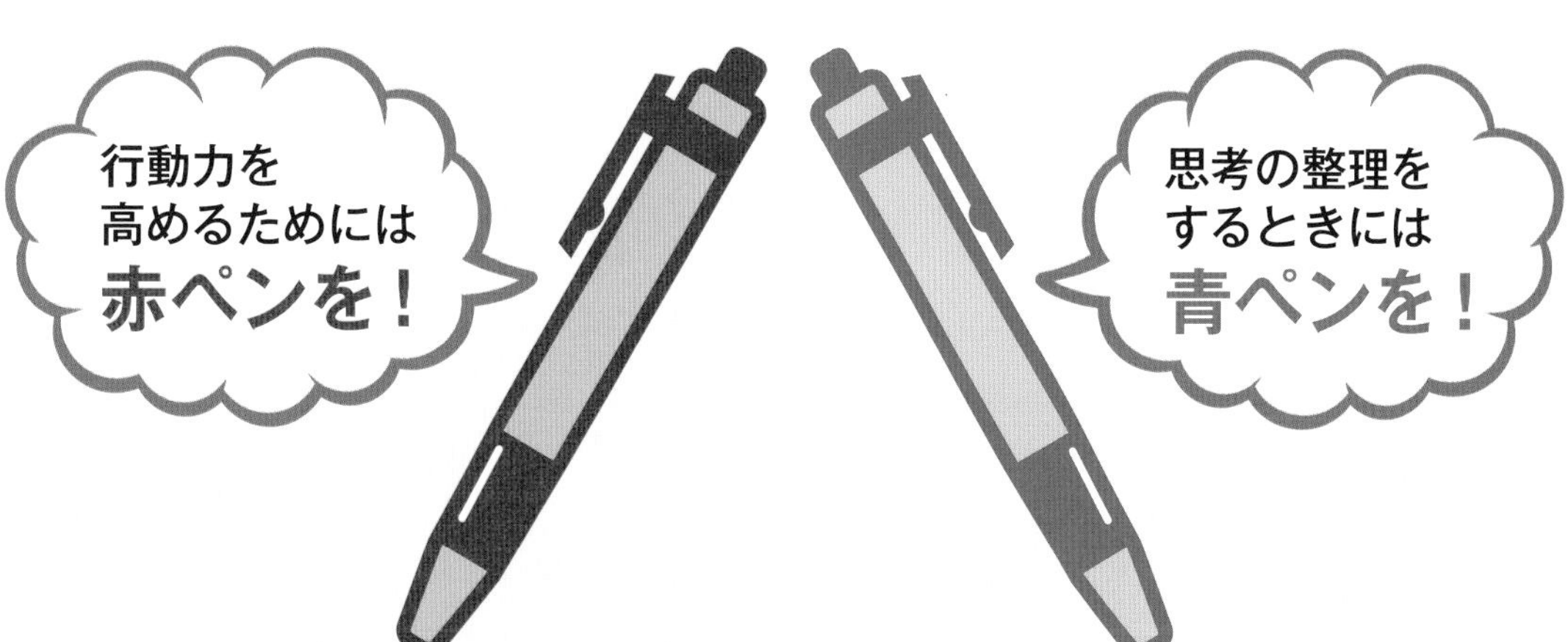
行動力を
高めるためには
赤ペンを！
思考の整理を
するときには
青ペンを！

CHAPTER 1

ノート1冊で時間が3倍になる！

まとめ

すぐやる人は「マルチタスクは能率が落ちる」ことを理解していて、1つひとつのタスクに全力で取り組む。

状況に応じて優先順位を考えながら、やることを進めていくことが重要。

時短に一番効果的な方法は、時間制限を設けること。時間制限がないと、気づかない間に時間を浪費してしまう。

仕事ができる人、すぐやる人は時間への意識が高く行動が速い。

「やること」をサクサクこなし、仕事以外の「やりたいこと」にしっかりと時間を使えるようにする。

人間が、ものを忘れることは当たり前。忘れてしまうことにストレスを感じる必要はない。

挫折知らずになるためには、「きっとできる」という感覚（自己効力感）を高めることが大事。

CHAPTER
2

仕事がサクサク進む！タスコンノート

Secrets of active note taking skills

まずスケジュールを管理する

スケジュールはシンプルに管理する

CHAPTER2では、引き続き「やること」をサクサクこなすためのノート術を紹介します。**「やること」とスケジュールは密接に関係しているので、スケジュール管理が大切です。**スケジュールは手帳で**シンプルに管理する**のがいいでしょう。私はスケジュールを共有するためにグーグルカレンダーも併用していますが、メインはA6サイズの手帳です。

予定が変わることはよくあることなので、**メインとサブをしっかりと決めておかないと、どちらが正しいのかわからなくなってしまうリスクがあります。**そのため、手帳に書き込んでから、グーグルカレンダーにアップするという順番は厳守です。

また、手帳が手元にないときに何かの予定が入ったら、自分にまずはメールをしておき、その後手帳に書き込んでから、グーグルカレンダーにアップするという手順を踏んでいます。

スケジュール管理のポイント

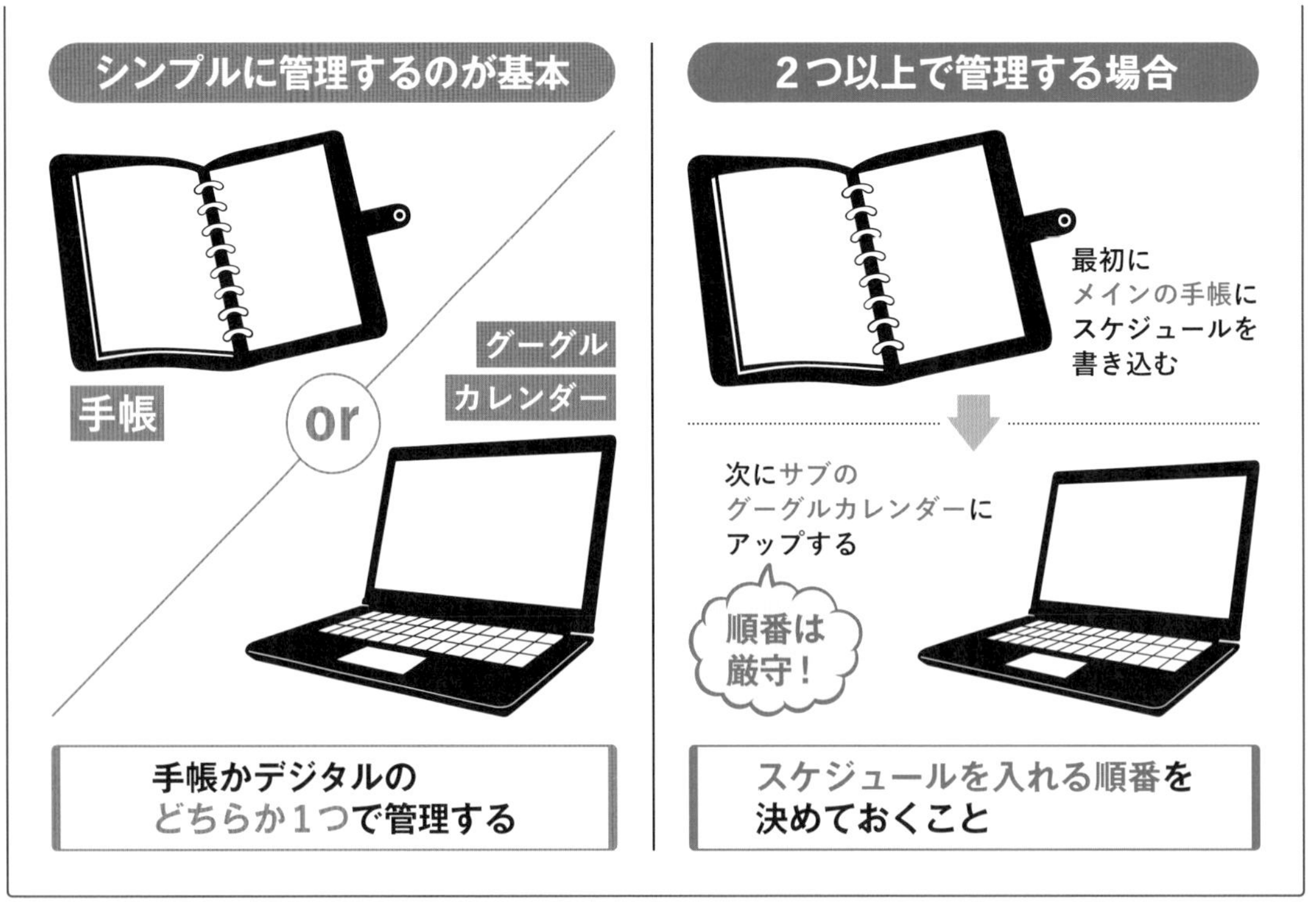
シンプルに管理するのが基本
手帳
or
グーグル
カレンダー
手帳かデジタルのどちらか1つで管理する
2つ以上で管理する場合
最初にメインの手帳にスケジュールを書き込む
次にサブのグーグルカレンダーにアップする
順番は厳守！
スケジュールを入れる順番を決めておくこと

ウィークリー手帳で時間を徹底的に意識する

スケジュールはウィークリーで管理する

◎ オススメはウィークリー（バーチカルタイプ）

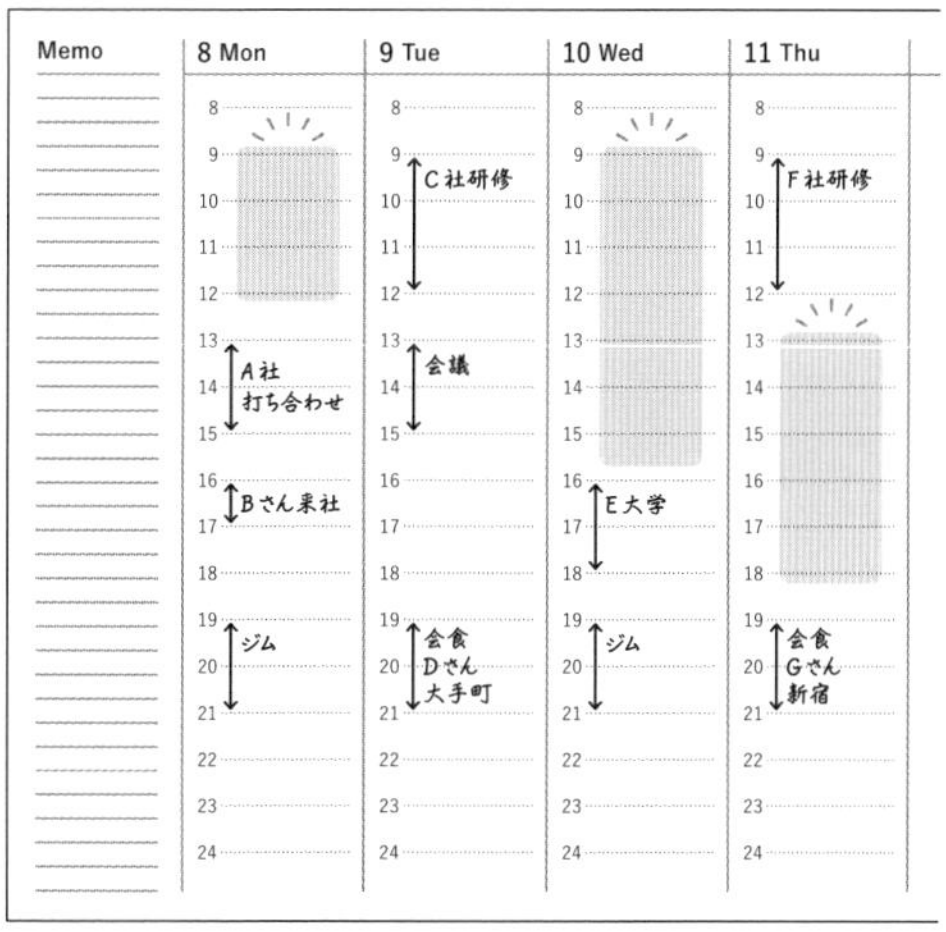

どこに余裕があるかが一目でわかる！

△ マンスリーだと時間の感覚がつかみづらい

12月 December

日	月	火	水	木	金	土
				1	2	3
4	5	6	7	8	9	10
11	12	13	14	15	16	17
18	19	20	21	22	23	24
25	26	27	28	29	30	31

どこにスキマ時間が生まれそうかがわかりにくい

ウィークリーをうまく使えば、効率化が図れる

私は、いつもバーチカルタイプのウィークリー手帳を使っています。**時間を徹底的に意識できる**ということがその最大の理由です。

そして、ウィークリーは**見開きで1週間の予定をいつでも確認できることもメリット**です。マンスリーだと、どこにスキマ時間が生まれそうかなどといった時間の感覚があまり持てません。ちょっとした時間の使い方、つまり微差こそが大きな差を生むと思いますので、ウィークリーでの管理がオススメなのです。

大学受験の時からウィークリーを使うようになり、このおかげで自習時間を上手に確保できました。

また、手帳をつけると、**ダラダラと怠けてしまいそうな時間にも緊張感を持って臨める**、という副次的な効果も期待できます。

もちろん、これは受験だけでなく仕事でも同じです。ウィークリーをうまく使えば、効率化が図れるようになるでしょう。

やりたいことを最優先する

やりたいことは、先にスケジュールに入れよう！

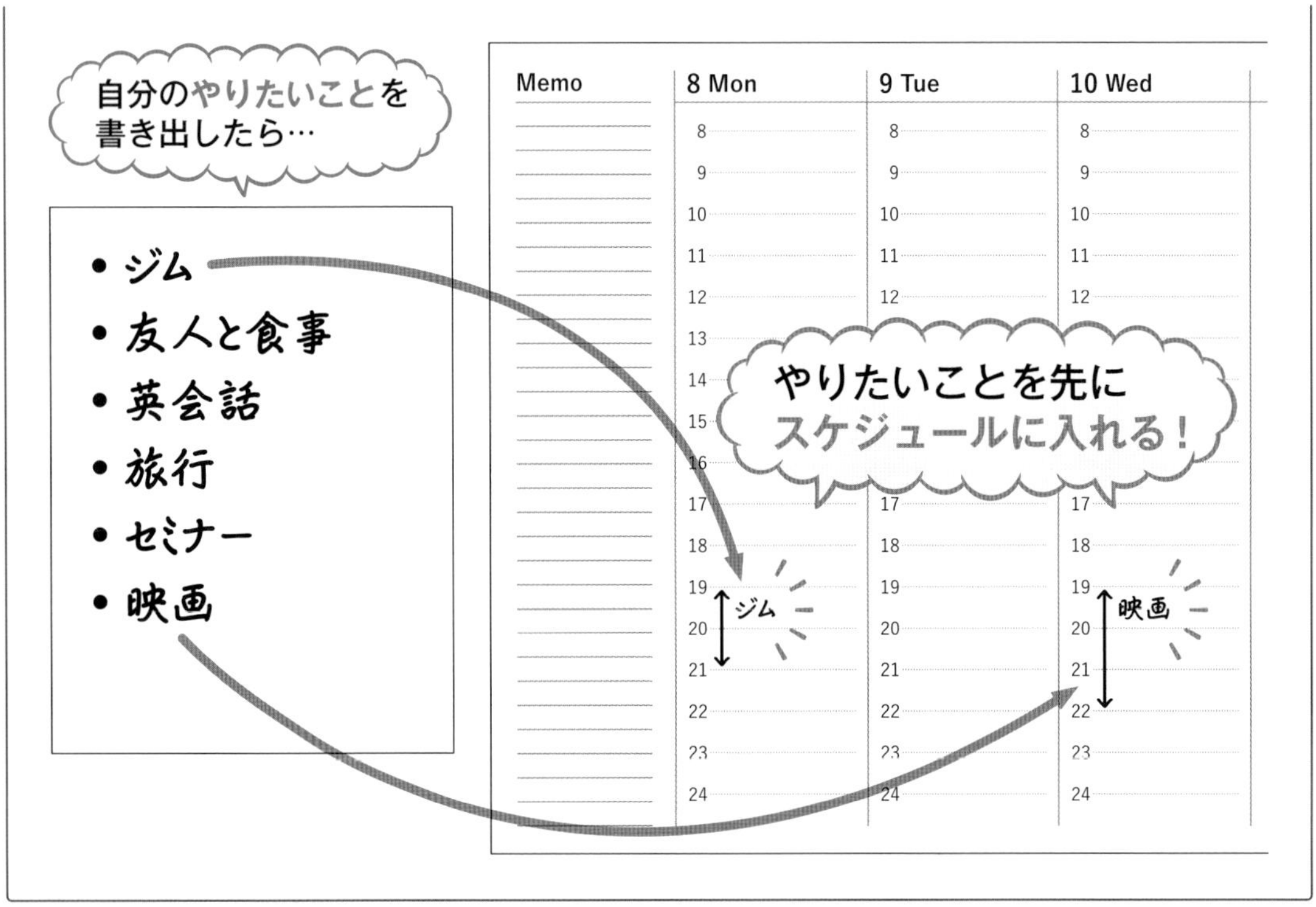

自分のやりたいことへの時間を確保する

タスクや仕事に追われるだけで毎日が過ぎていき、自分のやりたいことができないまま生きていては、何のために生きているのかがわからなくなって当然です。

誰でも毎日を楽しみたいし、1日1日を味わいながら生きていきたいですよね。

そこで、**まずは自分のやりたいことの時間を確保することから始めます。**

「時間ができたら、あんなことしてみたいな」と言っていると、一向にできるようになる日は来ません。やりたいことがあるのなら、まずスケジュールにそれを入れてしまいましょう。**遊びの予定や自分磨きの予定をどんどん確保してください。**

というのも、仕事以外の予定を重要視することで、**仕事を早く終わらせることへの意識も高くなる**からです。強制的に、仕事のことを考えない時間を作ることで、さらに仕事の質も高くなります。

11

タスコンノートに必要な3つのツール

A4のコピー用紙、付せん、ペンの3つでOK

それでは具体的にタスコンノートの作り方をご紹介しましょう。まず、ノート作りに必要な3つのツールをご紹介します。

1つ目は**A4のコピー用紙**です。下図のように、横向き、4つ折りの4分割で使います。

2つ目は**付せん**です。私はポスト・イット®の75㎜×14㎜を使用しています。A4用紙を4分割すると、ほぼ同じ大きさで使うことができるからです(※)。

3つ目は**ペン**です。黒1色でいいでしょう。

私は、パイロットのVコーンやZEBRAのサラサの水性ペンを使います。多くのシーンでこれらのペンを使っているので、そのまま使っています。付せんに色がついているので、あえてペンを何本も変える必要はありません。

何よりも**重要なのはタスクをしっかりと遂行すること**なので、ノート作りがゴールにならないようにしたいところですね。

タスコンノート作りに必要なものは、この3つだけ！

A4のコピー用紙
4つ折りの
4分割で使う
付せん
14㎜
75㎜
75㎜×14㎜の
サイズがオススメ
ペン
黒1色でも
問題なし！

※A4用紙の寸法(210㎜×297㎜)。ポスト・イットは、3M社の商標です。

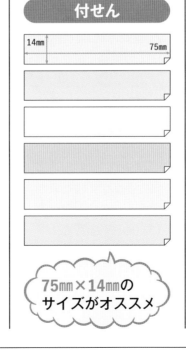

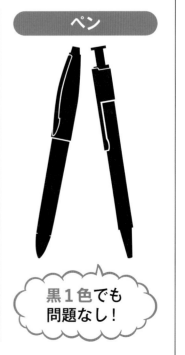

付せんの色を使い分ける

自分の行動を付せんの色分けで管理できる

タスクを色分けするために、付せんはイエロー、グリーン、ピンク、ブルーの4色を使っています。

私は、イエローとグリーンを**仕事関係の「やること」**に使っています。「Aさんに電話」「B書類の最終確認」などです。毎日頻繁に使うので、イエローがなくなったらグリーンを使っています。

ピンクは、**動かせないアポや期限が差し迫っているスケジュール**に使います。「Fさんと打ち合わせ」「16：00 △△返答」などです。

ブルーは、**仕事関係以外の「やること」**（主にプライベートなこと）に使います。「ジムに行く」「トイレットペーパーを買う」のように、行動から買い物まで、仕事以外の行動に関するものはすべて書き出しておきます。

あまりにもイエローばかりだと、自分がしたいことや自分のためのアクションができていないことに気づけます。**自分の行動を色分けによって管理できる**のです。

付せんを色分けして、わかりやすくする

仕事関係はイエロー、グリーン	動かせないアポイントはピンク	仕事以外はブルー
Aさんに電話	Fさんと打ち合わせ	ジムに行く
B書類の最終確認	14:00 G商品販促会議	トイレットペーパーを買う
C社 企画を考える	15:00 報告書提出	クリーニング引き取り
Dさんへの質問をまとめる	16:00 △△返答	◇◇銀行で手続き
Eさん日程確認 電話	○○セミナー	幼稚園 子どものお迎え

13

まずはピンクの付せんを配置する

最初に外せない予定を入れる

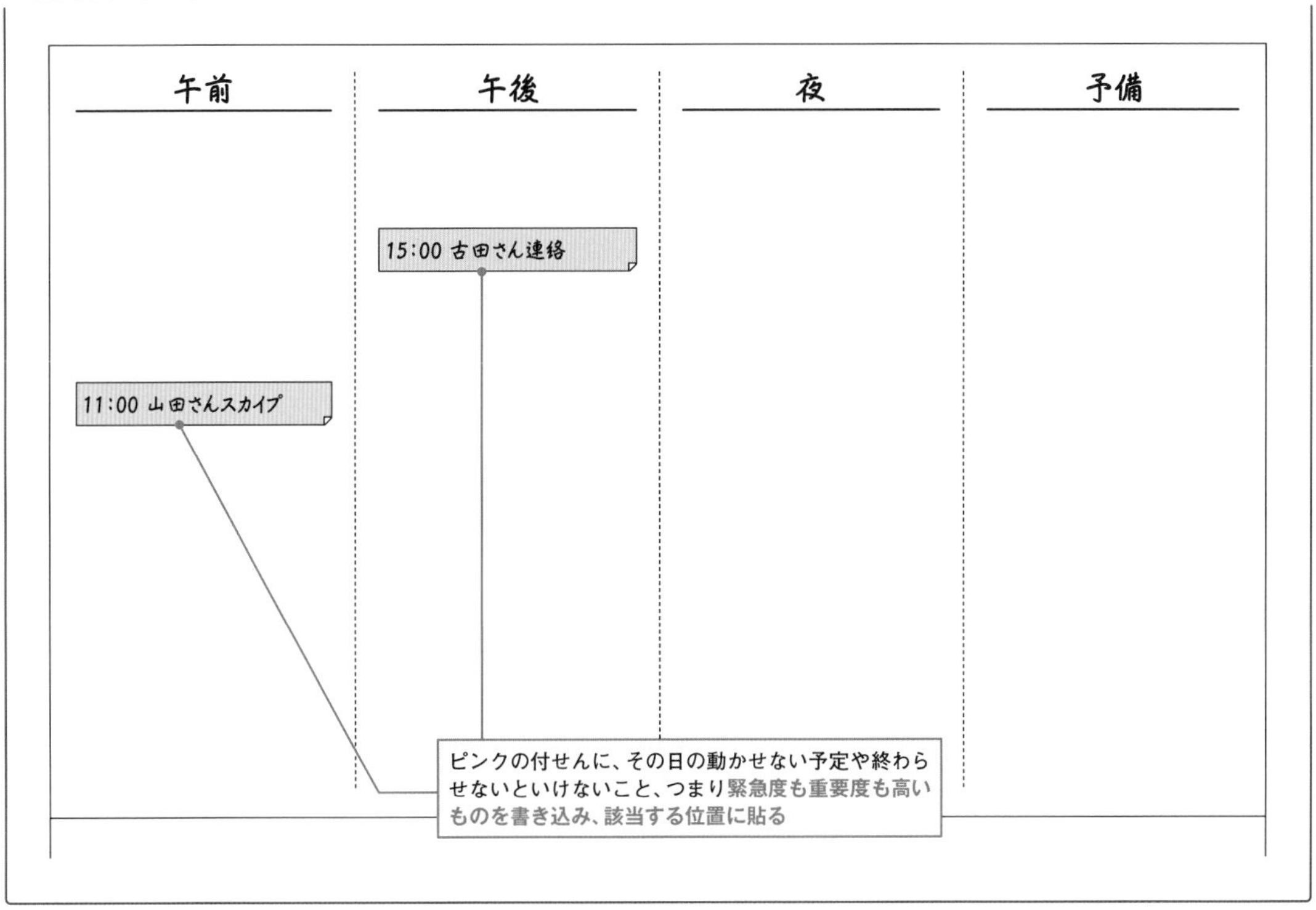
午前
午後
夜
予備
15:00 古田さん連絡
11:00 山田さんスカイプ
ピンクの付せんに、その日の動かせない予定や終わらせないといけないこと、つまり緊急度も重要度も高いものを書き込み、該当する位置に貼る

緊急度も重要度も高いものを先に書き込む

まずはピンクの付せんに、その日の動かせない予定や終わらせないといけないこと、つまり**緊急度も重要度も高いものを書き込み、該当する位置に貼りましょう。**

たとえば午前11時に山田さんとスカイプ会議があれば、付せんに「11：00 山田さんスカイプ」と書き、ノートの午前の欄の下の方に貼り付けます。このように当日の予定を貼っていくと、**どこに時間の余裕があるのかが見えてきます。**

タスクの期限が差し迫っているものも、たとえば古田さんに15時までに連絡する必要があるなら、「15：00 古田さん連絡」と付せんに書き込みます。そうすれば、緊急事態などでタスクがあまり進まない日でも、**優先度と緊急度の高いものからこなしていくことができるようになります。**

そしてその日の他の「やること」を書き出していって、このタイミングでやろうと思う場所に配置させていきます。

予備スペースに買い物リストも放り込む

予備スペースの使い方

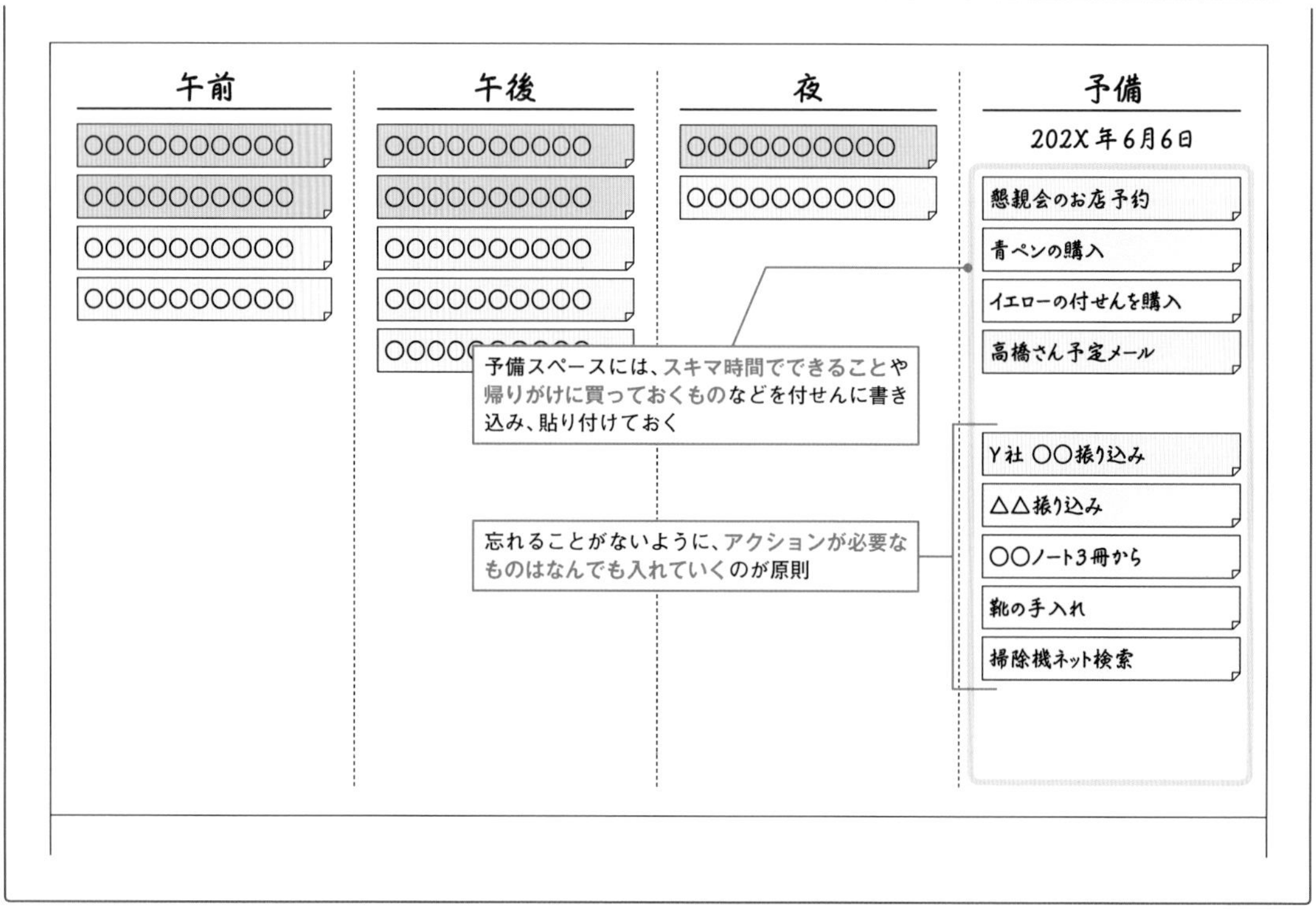
午前
午後
夜
予備
○○○○○○○○○○
202X年6月6日
懇親会のお店予約
青ペンの購入
イエローの付せんを購入
高橋さん予定メール
Y社 ○○振り込み
△△振り込み
○○ノート3冊から
靴の手入れ
掃除機ネット検索
予備スペースには、スキマ時間でできることや帰りがけに買っておくものなどを付せんに書き込み、貼り付けておく
忘れることがないように、アクションが必要なものはなんでも入れていくのが原則

アクションが必要なものはなんでも入れていく

予備スペースの使い方の1つに、**買い物リストとして使う**ことがあります。

たとえば、ペンのインクがなくなったり、付せんがなくなったりしそうなときは、予備スペースに「青ペンの購入」「イエローの付せんを購入」と付せんに書いて入れておけば、会社帰りに買って帰ろうかと思い出しやすくなります。

基本的に、**アクションが必要なものはなんでも入れていくのが原則**です。それらをしそびれたり、買いそびれたりすることがないようにするためのノートだからです。

私の場合は、たとえば「ゴルフのレッスンの予約」「ペットのトリマー予約」「○○に予定メール」といったものもすべて放り込みます。

私たちの身体は1つですし、1日24時間は誰のものでもなく、自分のものでしかありません。だから、**自分の1日のなかで必要なアクションをどんどん入れていくことが大事**なのです。

予定のズレにも ラクに対応できる

予定がズレても、ムダなく行動できる

すぐやる人は、**計画通りに予定は進まないことを前提にして行動しています**。そのため、予定がズレても、的確な行動をとれるためムダがありません。

想定外のことが起こって苛立ったら、そもそも予定通りに進まないものと想定して**フレキシブルに予定を組み替えなかったことに、問題があったと考えましょう**。

また、相手の都合で予定がズレ込むこともありえます。たとえば、打ち合わせを11時に約束していた相手から、30分遅れると連絡が来たとします。そのときにさっと**タスクリストをとり出して、30分以内に片づけられるものを探して取り組みます**。ちょっとした調べものなら、30分で解決することもあるでしょう。

この行動だけで**タスクが1つ片づきます**。わずかな時間でも、ぼーっとしたり、SNSにとりつかれたりと、非生産的な結果に終わらないように注意しましょう。

付せんを置き換えて、スキマ時間を有効に使う

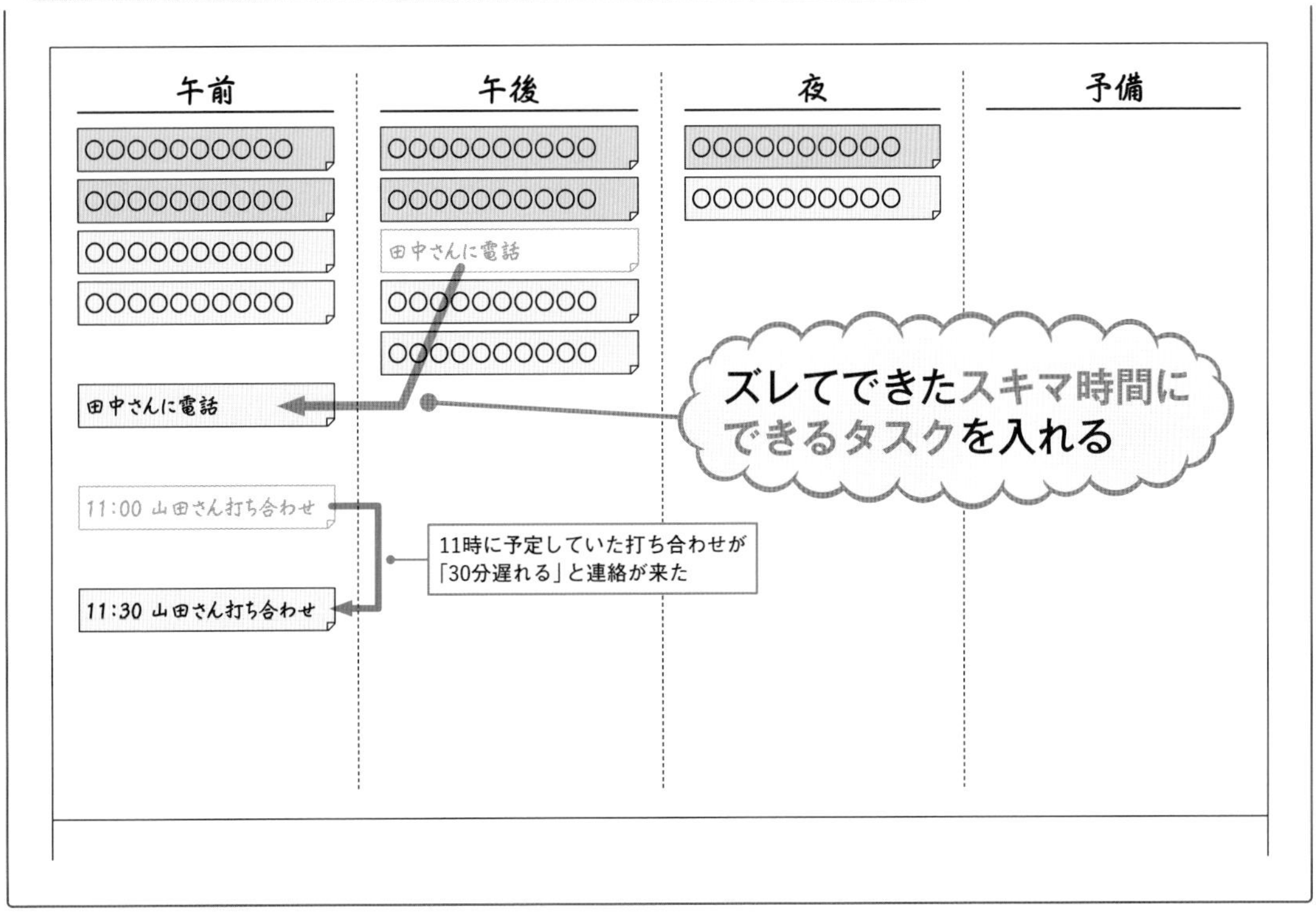
午前
午後
夜
予備
○○○○○○○○○○
田中さんに電話
11:00 山田さんと打ち合わせ
11:30 山田さんと打ち合わせ
11時に予定していた打ち合わせが「30分遅れる」と連絡が来た
ズレてできたスキマ時間にできるタスクを入れる

タスクを俯瞰することのメリット

1日のタスクの全体を把握することが大事

先延ばしをしてしまう原因に、1つのことに集中しすぎてしまうということがあります。

タスクをすべて書き出しておかないと、ずっと同じものばかりに集中してしまうこともあります。その日のうちに仕上げないといけないのならばいいのですが、他に**もたくさんタスクがあるときに、1つのことに必要以上にこだわってしまうのはよくありません。**

たとえば私の場合、文章を書く仕事も少なくありません。最初に文章を書く仕事を始めて、リズムがついたからといって、その1つばかりしていると、他の進めなければいけない仕事が回らなくなってしまいます。

そこで大切なのが、**いつでも1日のタスクの全体を、時系列でしっかりと俯瞰できるようにすること。**タスクの全体を把握することで、**「この作業は、今日はこのあたりで一度止めたほうがいいな」**と冷静に判断できるようになります。

1日のタスクは、時系列でしっかりと俯瞰する

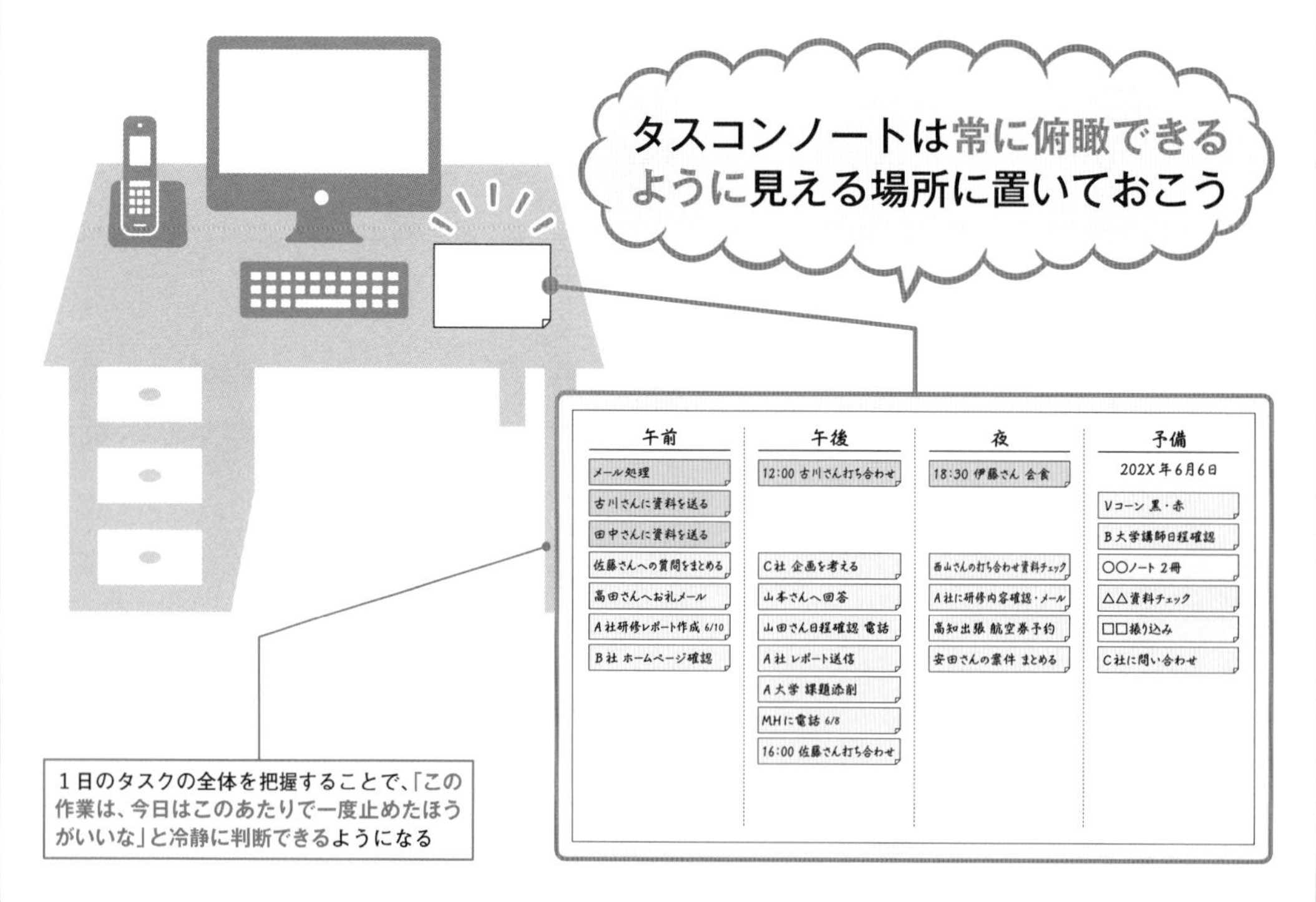
タスコンノートは常に俯瞰できるように見える場所に置いておこう
午前
メール処理
古川さんに資料を送る
田中さんに資料を送る
佐藤さんへの質問をまとめる
高田さんへお礼メール
A社研修レポート作成 6/10
B社 ホームページ確認
午後
12:00 古川さん打ち合わせ
C社 企画を考える
山本さんへ回答
山田さん日程確認 電話
A社 レポート送信
A大学 課題添削
MHに電話 6/8
16:00 佐藤さん打ち合わせ
夜
18:30 伊藤さん 会食
西山さんの打ち合わせ資料チェック
A社に研修内容確認・メール
高知出張 航空券予約
安田さんの案件 まとめる
予備
202X年6月6日
Vコーン 黒・赤
B大学講師日程確認
○○ノート 2冊
△△資料チェック
□□振り込み
C社に問い合わせ
1日のタスクの全体を把握することで、「この作業は、今日はこのあたりで一度止めたほうがいいな」と冷静に判断できるようになる

1週間単位でクリアファイルに入れていく

タスコンノートは1週間単位で作る

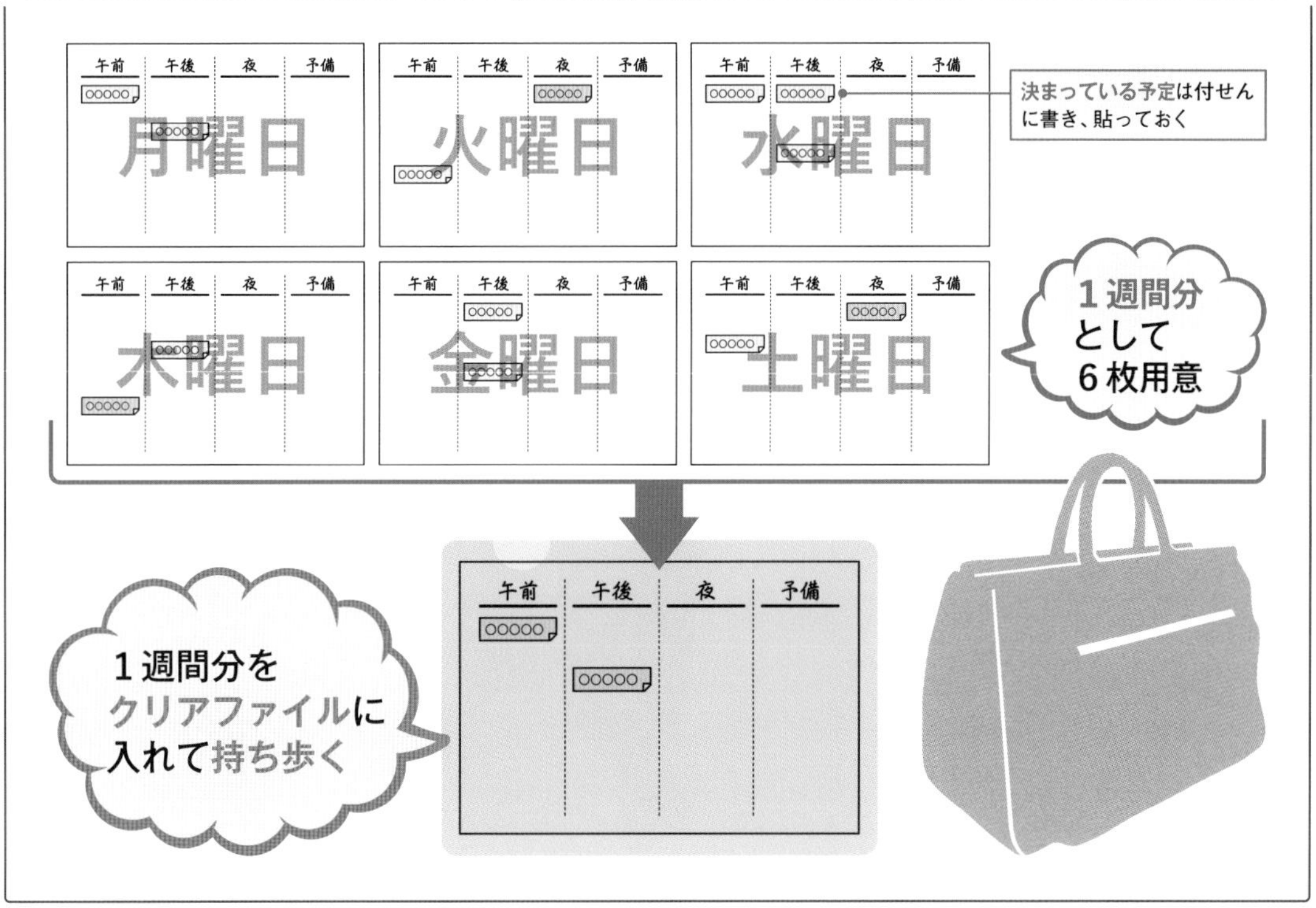
午前
午後
夜
予備
月曜日
火曜日
水曜日
木曜日
金曜日
土曜日
○○○○○
決まっている予定は付せんに書き、貼っておく
1週間分として6枚用意
1週間分をクリアファイルに入れて持ち歩く

1週間単位で作り、毎日見直しをしていく

タスコンノートは、1週間単位で作ることをオススメしています。手帳と同じように月曜日スタートで活用する場合は、日曜日の夜に1週間分のノートを用意して、手帳に書かれているタスクがあれば付せんに落とし込み、該当する日のノートに貼り付けておけばいいでしょう。

もちろん、必ずしも月曜日からスタートさせる必要はありません。あなたの職種などによっても変わってくると思いますので、柔軟にスタート日を調整してください。

スタート日に大事なのは、**1週間単位で作り、毎日見直しをしていくこと**です。月曜日に出勤したら、新しいタスクが増えることも想定できるので、状況に応じて逐一アップデートをしましょう。

私は1週間あたり6日分で作ることを目安にしています。なぜならば、**週1回くらいは何も考えない、タスクに追われない1日を作ることも重要**だからです。

翌日のシミュレーションをする

シミュレーションによって、ミスや忘れ物を減らせる

午前
午後
夜
予備
202X年6月6日
メール処理
古川さんに資料を送る
田中さんに資料を送る
佐藤さんへの質問をまとめる
高田さんへお礼メール
A社研修レポート作成 6/10
B社 ホームページ確認
12:00 古川さん打ち合わせ
C社 企画を考える
山本さんへ回答
山田さん日程確認 電話
A社 レポート送信
18:30 伊藤さん 会食
C社に問い合わせ
明日の午後には古川さんとの打ち合わせがあるな
明日はやることが多いから早めに行くか
伊藤さんはこうしたら喜んでくれるかな

前日に、翌日の状況を想定しておく

「月曜日の予定は日曜日に」「火曜日のタスクは月曜日の夜に」といった具合に、毎晩、翌日のスケジュールを考えながら、タスクをノートに落とし込んでいきましょう。

付せんをペタペタ貼りながら、翌日の予定を立てていくと、**1日の流れのシミュレーションをすることができます。**

すると、「あれ？　これはいつできるだろうか？」とか、「あ、この作業をするときには○○と□□を持っていったほうがいいよね」など、**やることの漏れを見直せますし、準備する物を確認できます。**この1日の流れのシミュレーションによって、ミスや忘れ物を減らせることでしょう。

もちろん毎日、その日の状況に応じてタスクの配置を変化させていきますが、まずは前日に、**よりリアルに翌日の状況を想定しておくことで、コントロールできる感覚を持ちながら、翌日を迎えられる**ようになります。

19

先の予定を管理する

手帳を活用すれば、先のタスクにも気づける

このノート術についていただく質問のなかに、「1週間より先に期限があるタスクはどうすればいいのか?」といったものがあります。

たしかに、中長期のプロジェクトなどでは、進捗状況の確認や、誰かに何かを依頼するタイミングは、「今すぐではないもの」も多くなります。その場合、長期的な視点で発生する「やること」は、まずその期日を自分で設定して、手帳のウィークリーページに期日を書き込んでおきましょう。

たとえば、3週間後にYさんに進捗確認のメールを送る場合は、「Yさんに進捗確認」と、手帳の3週間後のところに記入しておきます。こうすることで、その週が始まった段階で手帳の書き込みに気づくため、タスコンノートの付せんにしっかりと落とし込むことができます。

私の場合、手帳の下部に設けられたスペースに、どんどん期日とタスクを書くようにしています。

まずは手帳に書き、その週が来たらタスコンノートへ

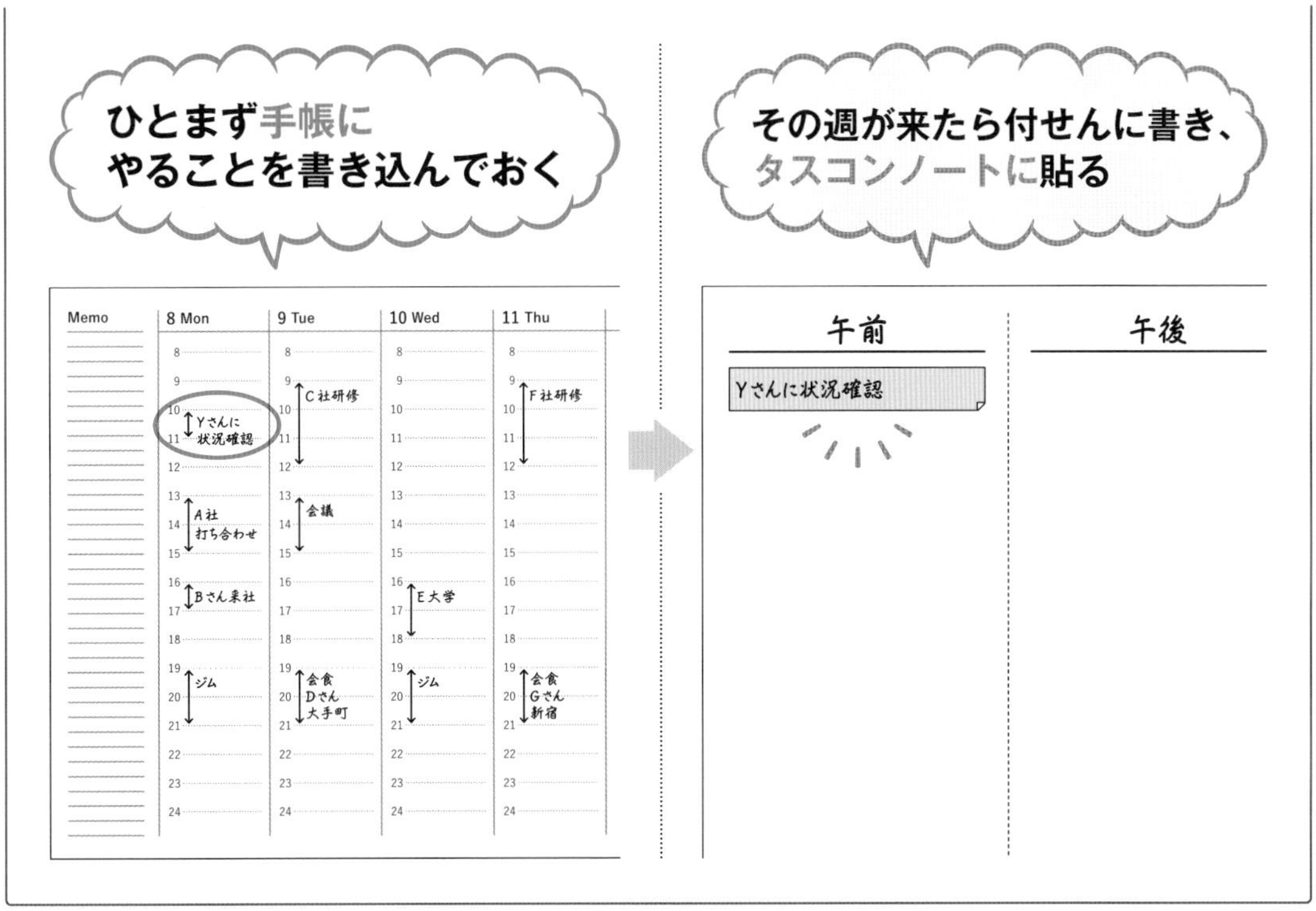

コンプリートしたらどうする？

1日の終わりに、ノートを振り返ること

タスコンノートに貼り付けた1日のタスクの付せんは、その日が終わるまでは基本的に剥がしません。なぜなら、**1日の終わりにノートを振り返る時間を設けている**からです。

そのため、すでに終わった「やること」には、下図のように赤いペンで取り消し線を入れておくといいでしょう。このように管理することで、作業をコンプリートした達成感を味わえますし、**自分の1日の行動を振り返ることは、明日へのモチベーションを生み出します。**

また、CHAPTER3でご紹介をする「リフレクションノート」でも、1日の流れを振り返ることができます。

そして手帳をとり出して、その日にこなした主な「やること」で重要なものは、手帳のその日の欄に書き込むようにしています。**手帳とノートは、常に連動させていく**ことが大切なのです。

タスコンノートを1日の振り返りに使う

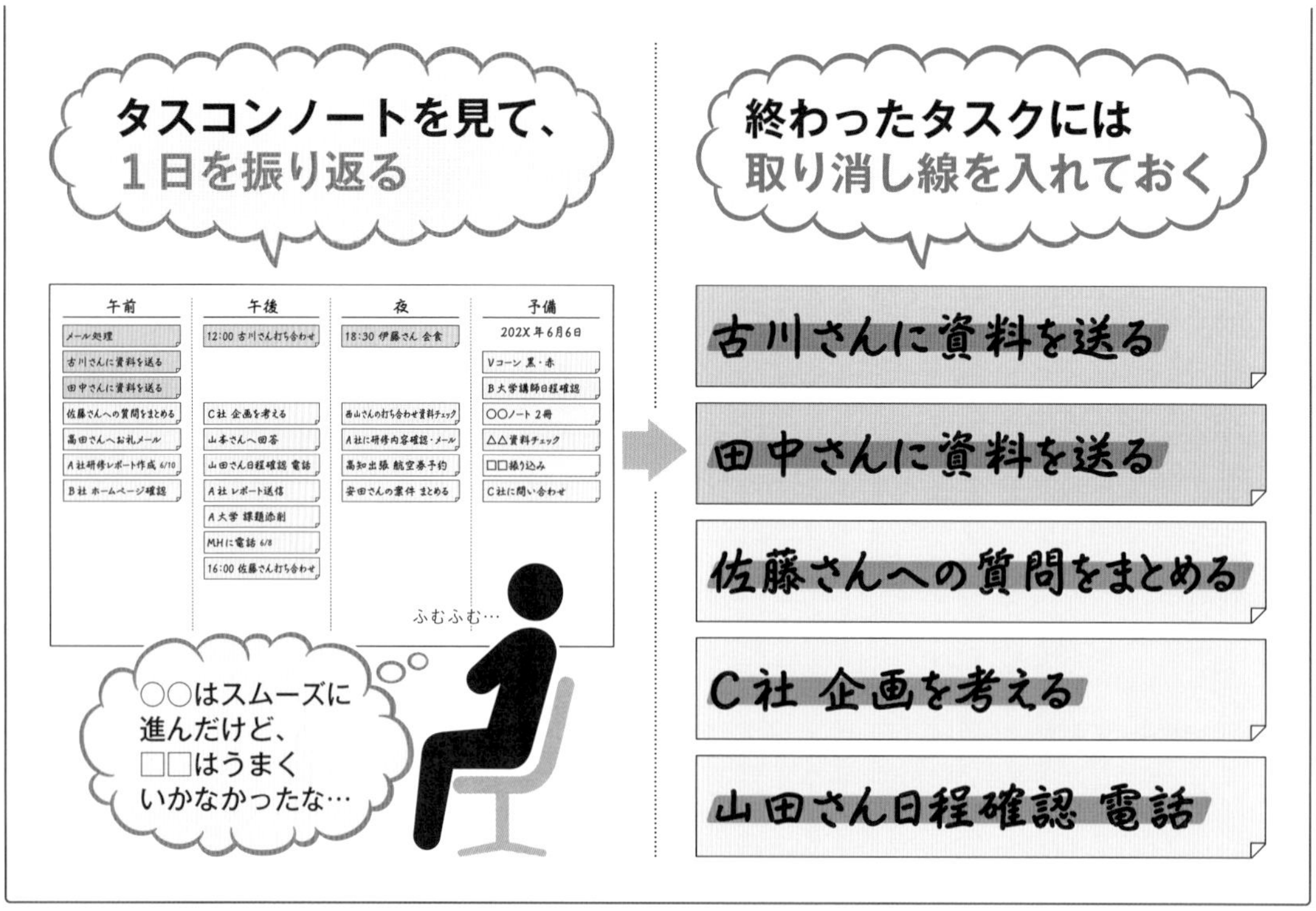
タスコンノートを見て、1日を振り返る
午前
メール処理
古川さんに資料を送る
田中さんに資料を送る
佐藤さんへの質問をまとめる
高田さんへお礼メール
A社研修レポート作成 6/10
B社 ホームページ確認
午後
12:00 古川さん打ち合わせ
C社 企画を考える
山本さんへ回答
山田さん日程確認 電話
A社 レポート送信
A大学 課題添削
MHに電話 6/8
16:00 佐藤さん打ち合わせ
夜
18:30 伊藤さん 会食
西山さんの打ち合わせ資料チェック
A社に研修内容確認・メール
高知出張 航空券予約
安田さんの案件 まとめる
予備
202X年6月6日
Vコーン 黒・赤
B大学講師日程確認
○○ノート 2冊
△△資料チェック
□□振り込み
C社に問い合わせ
ふむふむ…
○○はスムーズに進んだけど、□□はうまくいかなかったな…
終わったタスクには取り消し線を入れておく
古川さんに資料を送る
田中さんに資料を送る
佐藤さんへの質問をまとめる
C社 企画を考える
山田さん日程確認 電話

クリエイティブな人は朝に集中する

「脳のゴールデンタイム」を有効に使う

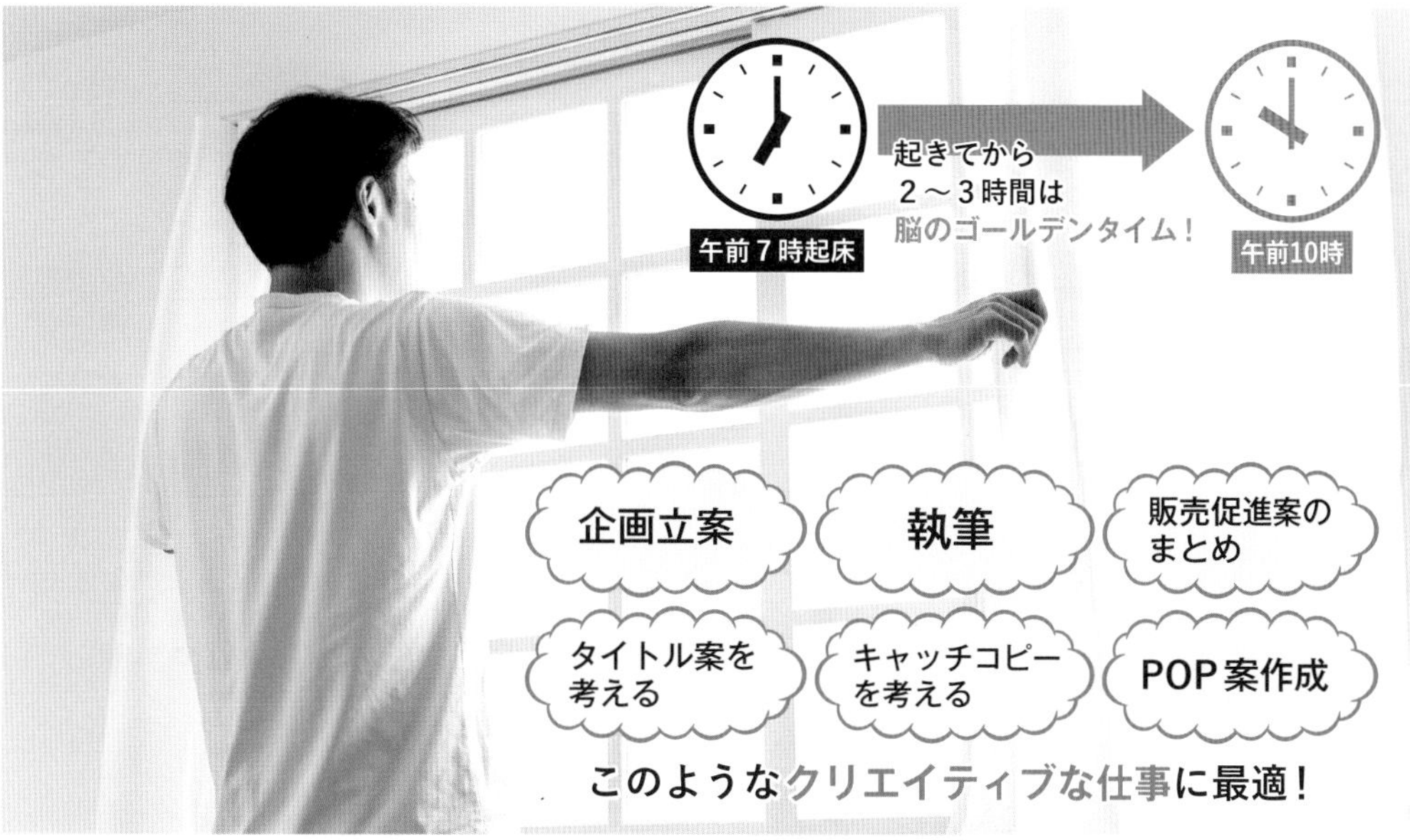
午前７時起床
起きてから
２〜３時間は
脳のゴールデンタイム！
午前10時
企画立案
執筆
販売促進案のまとめ
タイトル案を考える
キャッチコピーを考える
POP案作成
このようなクリエイティブな仕事に最適！

ゴールデンタイムにはクリエイティブな仕事を入れよう！

脳のバイオリズムに合わせて行動する

起きてからの2〜3時間は「**脳のゴールデンタイム」と呼ばれていて、最もフレッシュな状態で活発に脳が動く時間帯です。**

だから私は、脳のゴールデンタイムの朝に、原稿を書くことにこだわっています。朝の時間帯に、特に集中する必要のないものに取り組むと、**せっかくの脳のゴールデンタイムを無駄にしてしまう**ことになります。

逆に、みなさんが学生だったときのことを思い出せばすぐにわかると思いますが、昼食の後の時間帯は、いくら集中しようとしても頭がぼーっとして眠くなりがちです。そのような時間帯に脳をたたき起こそうと思っても、なかなか無理があります。

食後は血糖値が上がります。血糖値が上がると、人は生理的に眠くなるのです。それに逆らおうとするよりは、**脳のバイオリズムに合わせてアクションをとっていく**ほうが効率がよいでしょう。

気乗りしないときは「サクサク進むもの」から

簡単な仕事から始めてリズムを作る

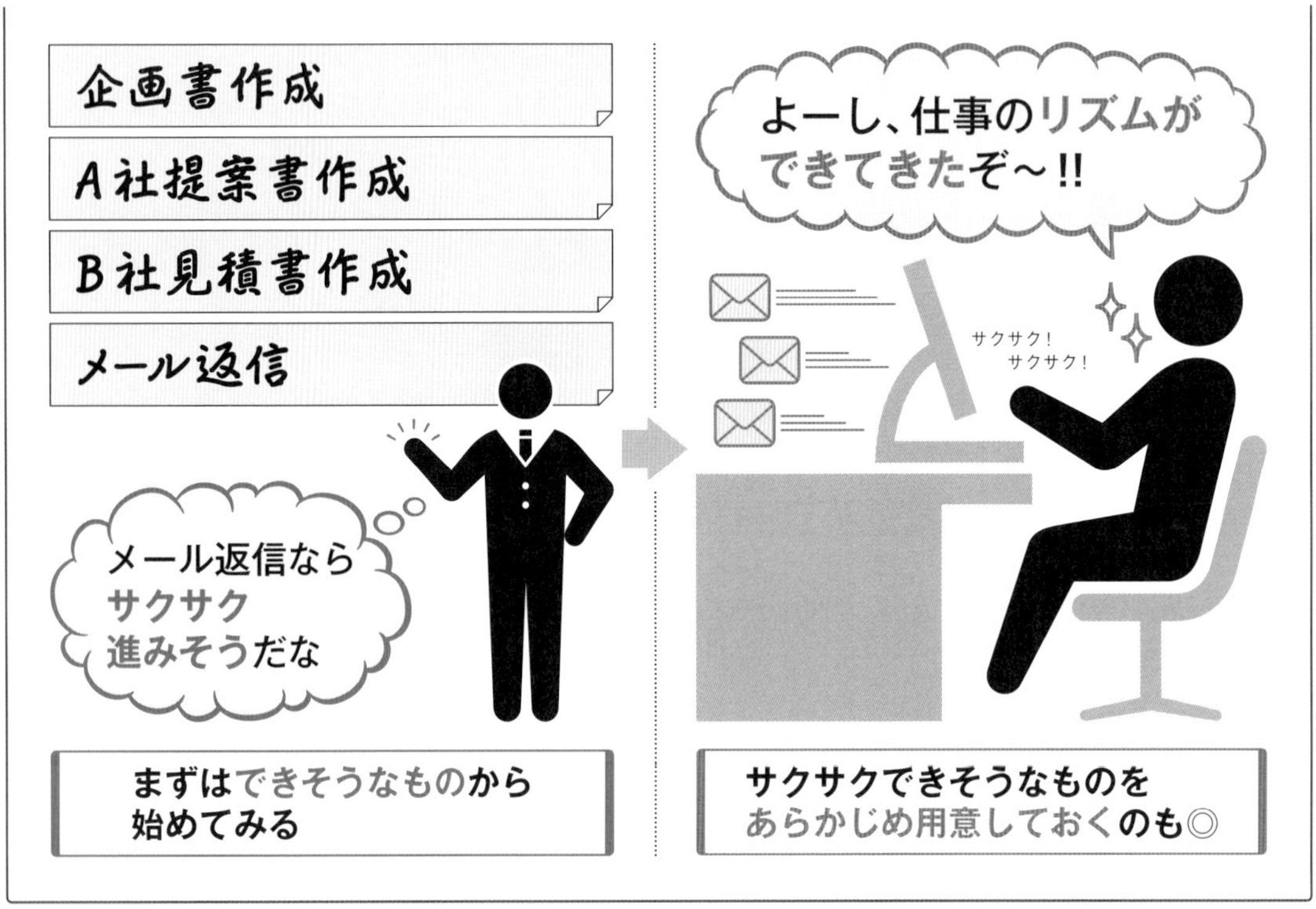
企画書作成
A社提案書作成
B社見積書作成
メール返信
メール返信ならサクサク進みそうだな
よーし、仕事のリズムができてきたぞ～!!
サクサク!
サクサク!
まずはできそうなものから始めてみる
サクサクできそうなものをあらかじめ用意しておくのも◎

順序を調整して、気乗りしない状況を乗り越える

自転車は漕ぎ始めが最も力を使うように、**動き出すときが一番つらいものです**。寒い冬の日に目が覚めても、なかなか布団から抜け出せない、という経験があると思います。

一方、すぐにこなせるようなタスクからとりかかれば、**心理的な障壁も低いので、スタートすることへの抵抗も少なくなります**。スポーツをするときに、ウォーミングアップをすることで、身体を思うように動かせるようになるのと似ています。

あまりやる気が起こらないときは、**簡単なもの、つまりサクサクできてしまいそうなものから手をつけましょう**。するとリズムができて、心を乗せやすくなります。

ときにはこのように、順序を調整することで、気乗りしない状況を乗り越えることができます。このタスコンノートをうまく活用すれば、状況を自在に操ることができます。

ひと口サイズにしないと行動できない

すぐに行動に移せる単位に落とし込むこと

ダメな付せんの例は、抽象的すぎて具体的な行動が書いていないもの。**すぐに行動に移せる単位に落とし込めていないのならば、結局は行動しなくなってしまいます。**

たとえば、私の場合、外国人講師に英語で文章を作成してもらうことがあり、それを指示しないといけません。このときに、付せんに「○○さんに依頼」と書くのは抽象的でNGです。

「サンプルを用意する」「テーマを選ぶ」「指示の詳細を決める」などの準備があったうえで、「○○さんに依頼メールを送る」というステップになるはずです。

同様に「会議の準備」も「会議室を予約する」「メンバーに連絡する」「資料を揃える」など、具体的に落とし込む必要があります。

一段一段ハシゴを登ってゴールまでたどり着くようなイメージで、自分自身にその一段一段の細切れになった「やること」を把握させることが大事なのです。

「ひと口サイズ＝すぐに行動できる単位」に分割する

大きなステーキをひと口サイズにカットして食べやすくするように

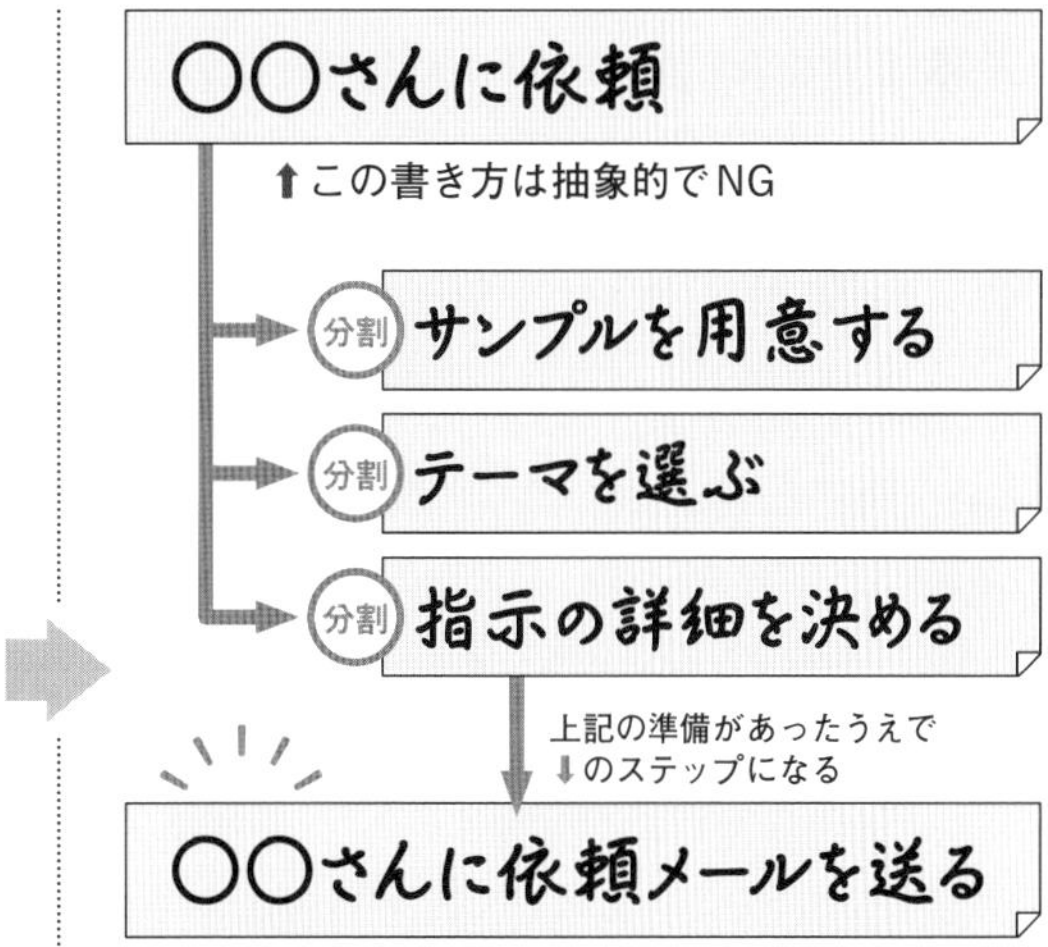
○○さんに依頼
⬆この書き方は抽象的でNG
分割 サンプルを用意する
分割 テーマを選ぶ
分割 指示の詳細を決める
上記の準備があったうえで
⬇のステップになる
○○さんに依頼メールを送る

そのままではなく、すぐに行動できる単位まで小さく分割する

メールも電話も固めて対応する

今取り組んでいる仕事が片づいてから対応する

メールソフトを常に起ち上げたままにしていると、集中力を阻害するものがあまりにも多く、仕事の効率は下がってしまいます。

断続的なメールチェックは効率を下げるだけなので、**「メールチェック」も付せんに書き出して、時間を決めて集中して取り組むよう**にしましょう。

電話も同じで、せっかく集中して取り組んでいた仕事が電話の着信音で途切れてしまいます。電話には、特に重要でない用件もじつはたくさんあるので、メールチェックと同様に、**着信があったら、後に固めてかけ直す時間を作れば**いいのです。着信があった時点で、付せんに「田中さん電話」と書いておいて、今取り組んでいる仕事が片づいてからかけ直せばいいのです。

かけ直すとお金がかかってしまうと思うかもしれませんが、**あなたの集中力は電話代よりも高くつく**ものですよ。

タスクを付せんで管理して、集中力を持続させる

A社田中さんに電話
山本部長に電話
B社花村さんに電話
今はこの仕事に集中しよう！
吉田さん日程調整メール
斉藤さんC案件メール
藤田さん資料依頼メール
後でまとめて電話！
後でまとめてメール！

メールも電話も付せんに書いておき、後でまとめて対応する

COLUMN 2

勉強もこれでうまくいく

タスコンノートは、誰にでも効果的なノート術だと確信しています。なぜなら、私が**大学を受験するときからずっと使っているもの**だからです。

私は大学受験を控えたとき、私立大を目指すことをまず決めて、国語、英語、日本史の３教科の学力アップを目指しました。偏差値30台からのスタートだった私には得意な教科などなく、これらの科目をバランスよく学んでいかなければいけなかったのです。

しかし、３科目の勉強をするという単位ではアクションにはつながらないため、**いつ（When）、何を（What）、どのように（How）、どの程度（How much）、やらなければならないのかを具体的に理解すること**が重要でした。

たとえば、英語が苦手だからといっても、「英語の勉強をしよう」と考えるだけでは具体的ではありません。私大入試においては、リスニングもスピーキングもなく、ライティングで文章を書くことも必要ありませんでした。逆に、リーディングや文法、単語に絞って徹底的に取り組んでいく必要がありました。

そこで、「リーディングにはこのテキストを、文法にはこのテキストを、単語にはこのテキストを使って……」と、**何（What）を明確にしていきました。**そして出てきた複数のテキストを一気にやるわけにはいかないので、章ごとやページごとに分けて、**どの程度（How much）を決めていった**のです。

目安としては、**30分程度でできる単位に落とし込みました。**それくらいが私たちの集中力にはいいからです。

このように１つずつ付せんに書き込んでやっていくことで、念願の大学に合格できました。受験や資格試験を控えている方にもタスコンノートはオススメです。

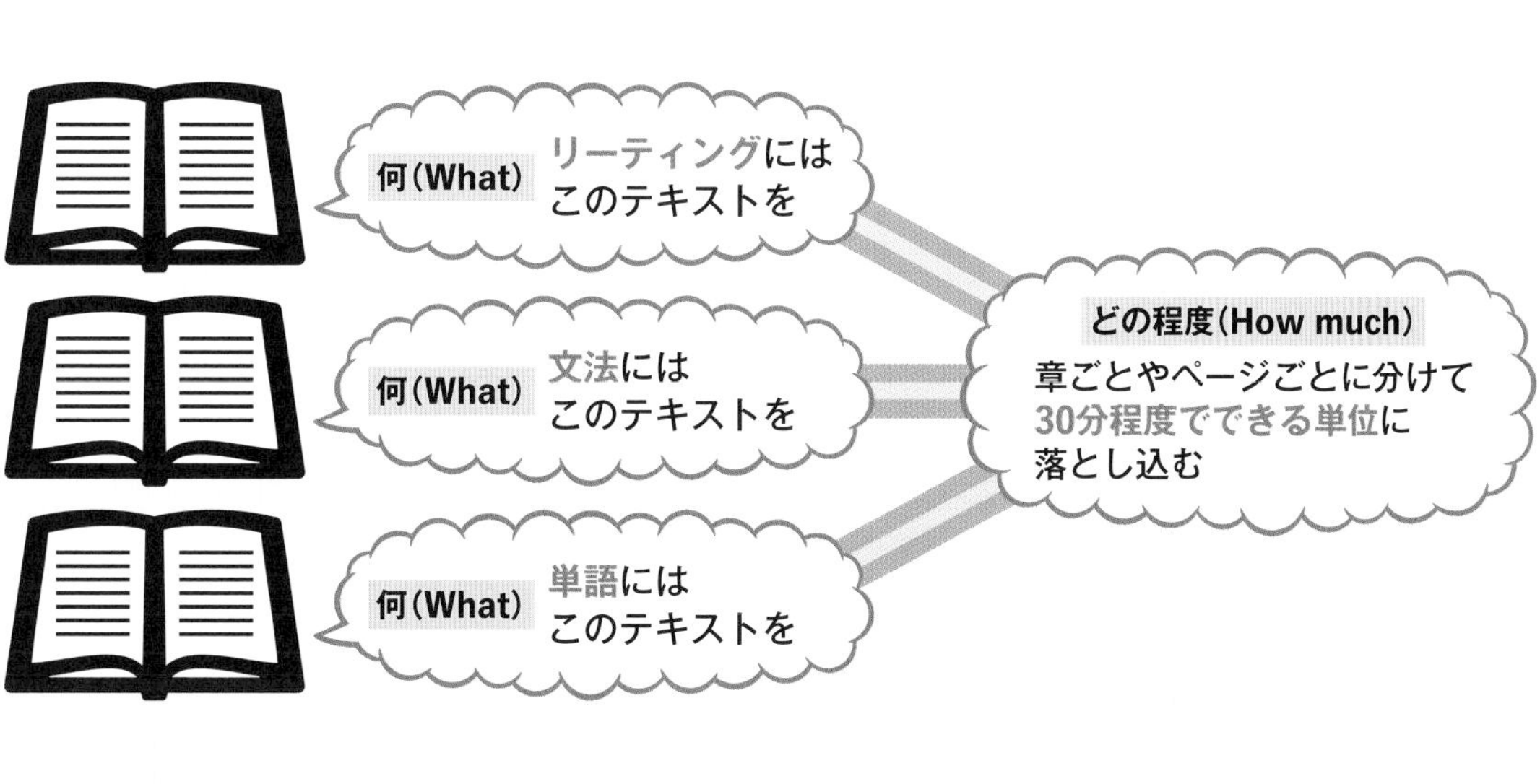

タスコンノートを習慣化するための4つのルール

①ノートが手元にないときは自分宛にメール

「あ、こういうのも面白いな。1回調べてみよう」と、混雑した電車のなかで、アイデアがひらめくときがあります。また、何かアクションが必要なメールを受けとることもあるはずです。

そのときにノートをとり出せればいいのですが、できない場合は、**自分宛（自分のメールアドレス）にメールをしましょう**。

そして後で付せんやタスコンノートを使えるときに、**メールから「やること」を書き起こせばいいのです**。自分にメールを送るときは、用件と期日を落とさないように入力しましょう。

②予定が少ないなら前倒しも考える

29ページで説明したように、日曜日に月曜日からのノートを作ってみるわけですが、予定が少なかったり、想定されるタスクがあまり多くない週もあるでしょう。

その場合は、翌週以降のタスクを見て、**「これは前倒しで手をつけよう」と思うものがあれば、どんどん前倒ししていきましょう**。まずは予備スペースに前倒しできそうな付せんを放り込んでおいて、余裕があるときに実行に移していいと思います。そして当日に、このタイミングでやろうと思う場所に配置していきます。

③付せんを見直す時間も設ける

タスクを付せんに落とし込んだら、並び替えるときには本当に必要なタスクなのかも一緒に吟味しましょう。**重要度の低いものに時間をとられてしまうと、重要度の高いものに使うエネルギーも時間もなくなってしまいます。**

書き出したタスクを見直して、本当にやるべき価値があるものなのか、自分でなければいけないのかを見直してみましょう。誰かに頼んでやってもらうことで、自分の時間を確保し、より重要度の高いものに時間を使うことで、とても効率がよくなります。

余計なタスクはバッサリと切り捨てることも、重要なことを「すぐやる」ためには欠かせません。

④移動中にこなせるタスクも考える

私は、学生時代も現在も、たとえ移動時間がかかったとしても、あえて各駅停車に乗ることがあります。理由は**座れて仕事ができ、集中できるから**です。

また、私は今でも満員電車を極力避けて行動しています。満員電車はストレスであると知り、ゆったりと座れるスペースが確保できるよう、行動してみてはいかがでしょうか？

私の場合、地方への出張も多いのですが、飛行機なら1時間もかからないところを、あえて電車で3時間かけて移動することもあります。3時間とわかっているから、「3時間で、あれとこれとそれを片づける」と**自分なりのテーマを設定して乗り込むので、かなり集中して取り組むことができるのです。**

4つのルールでタスコンノートを使いこなす

1 ノートが手元にないときは 自分宛にメール

1回調べてみよう
こういうのも面白いな…
今はノートに書けないから…
自分宛にメールしておこう

2 予定が少ないなら 前倒しも考える

午前 午後 夜 予備
○○○○○
○○○○○
今週はやることが少ないから
来週の予定の○○と□□を進めておこう！

3 付せんを見直す 時間も設ける

こっちは自分でやるタスク
こっちは他の人に頼もう
より重要度の高いものに時間を使おう！
A社見積書作成
B社企画書作成
C販売店訪問
D社販促提案
DM発送
E案件リスト入力
新幹線チケット予約
F案資料整理

4 移動中にこなせる タスクも考える

G社プレゼン原稿作成
H社会議資料確認
I社メール返信
新幹線の乗車時間＝3時間
・プレゼン原稿作成＝1.5時間
・会議資料確認＝0.5時間
・メール返信＝0.5時間
計2.5時間、
よし、できるぞ！
この3つは3時間あればできるから
3時間の乗車時間内に仕上げよう！

CHAPTER 2

仕事がサクサク進む！
［タスコンノート］

まとめ

「やること」とスケジュールは密接に関係しているので、スケジュール管理が大切。

スケジュールは、まずは自分のやりたいことの時間を確保することから始める。

タスコンノートでは、最初に「緊急度も重要度も高いタスク」を配置する。すると、どこに時間の余裕があるのかが見えてくる。

1日のタスクの全体を把握していると、「この作業は、今日はこのあたりで一度止めたほうがいいな」と冷静に判断できる。

起きてからの2～3時間は「脳のゴールデンタイム」。最もフレッシュな状態で活発に脳が動く時間帯を有効に使う。

やる気が起こらないときは、サクサクできるものから手をつける。するとリズムができて、心を乗せやすくなる。

タスクを付せんに書くときは、すぐに行動できる単位まで小さく分割することがポイント。

CHAPTER

3

1日5分で
行動を加速させる!
リフレクションノート

Secrets of active note
taking skills

26 先延ばしを撃退する小さな習慣

完璧を目指すのではなく、まずは行動することが大事

◎ 完璧を目指さない　　✕ 完璧にやろうとする

まずは行動してみよう！
できなかったら改善策を考えてみよう！
仕事は完璧にやらねば！
そのためには下調べと準備と確認とあれもこれも…

行動的になり、自分で改善策を探せる

時間がかかりすぎたり、状況が変わったりすることも

まずは行動し、うまくいかなければ改善する

すぐやる人は、いきなり完璧を目指しません。なぜなら、世の中のほとんどのものは、やってみなければわからないものばかりだからです。

皆さんもご存じの通り、時代はとても速いスピードで変化しています。昨日の正解が、今日の正解とは限りません。今までうまくいっていたものが通用しないことなんて、本当によくあることなのです。

だから重要なのは、いきなり正解を求めることよりも、とにかく行動をしてみること。そしてうまくいかなかったら、修正を加えて改善していきます。

これが遠回りなようで、じつは一番の近道なのです。

ということは、行動も重要なのですが、いきなり行動して最高の結果を得るのは、そもそも難しいわけです。

だからこそ、日々改善をしていくこと。改善をするためのツール

をしっかりと持つことが不可欠となるのです。

具体的な改善を自分で見つけ出していく

先延ばしをしたり、すぐに無気力になったりしてしまう人は、それを改善するためのツールを持っていません。ですので、少しでもうまくいかなかったら「この方法は私に合わない」とか「もういいや。諦めよう」と言って、投げ出してしまいます。

一方、先延ばしをせずに、どんどん行動する人は、「思ったほどうまくいかなかったな。それなら、こう改善してみたらどうだろう？」といったように、次に向けての改善案をしっかりと持っています。そのため、どんどん行動的になれるわけです。

もし、「私に合わない」と感じたら、「なぜそう思うのか？」「何か改善できることはないのか？」という視点を持ってみてはいかがでしょうか。

そしてじっくり考えてみて、本当に合わないのならば、やめてしまえばいいのです。

私の好きな言葉の1つに、

「勝ちに不思議の勝ちあり、負けに不思議の負けなし」

という言葉があります。

うまくいかないことが多いものですが、うまくいかなかったことが問題なのではなくて、そこには必ず何かしらの原因があるというわけです。

その原因と向き合うことであなたはどんどん成長できますし、成長していくことで、あなたはより成果を出せる力を身につけることができるのです。

タスコンノートの項目でもお話ししましたが、行動に具体性がないと自分を動かすことは容易ではありません。

うまくいかなかったときはもちろん、うまくいったときでも、よりよい成果のために改善をくり返していくことが重要なのです。

そのために具体的な改善を自分で見つけ出していくシステムが必要です。それがこれからご紹介するリフレクションノートなのです。

リフレクションノートで具体的な改善を見つけ出す

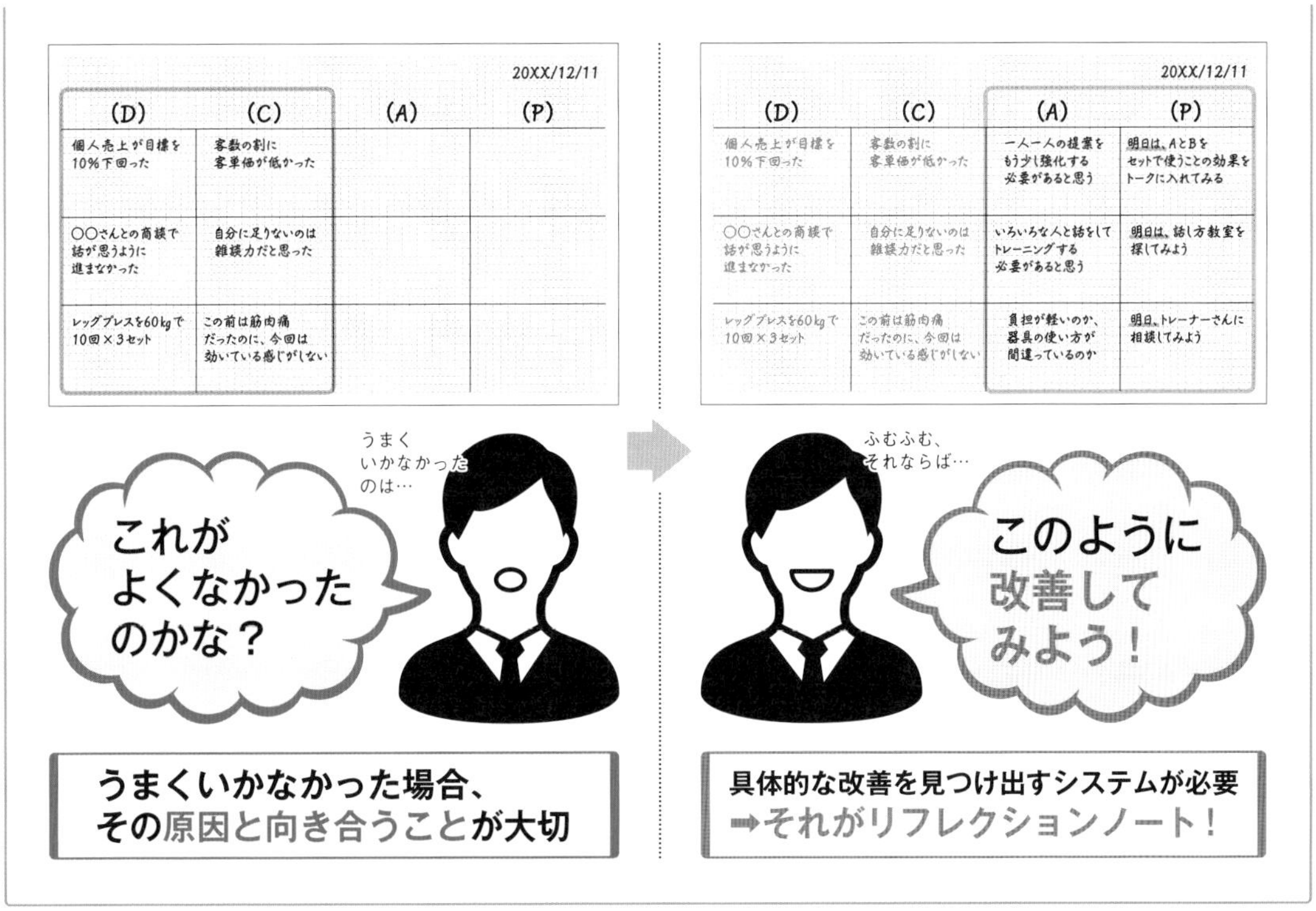

20XX/12/11

(D)	(C)	(A)	(P)
個人売上が目標を10%下回った	客数の割に客単価が低かった		
○○さんとの商談で話が思うように進まなかった	自分に足りないのは雑談力だと思った		
レッグプレスを60kgで10回×3セット	この前は筋肉痛だったのに、今回は効いている感じがしない		

20XX/12/11

(D)	(C)	(A)	(P)
個人売上が目標を10%下回った	客数の割に客単価が低かった	一人一人の提案をもう少し強化する必要があると思う	明日は、AとBをセットで使うことの効果をトークに入れてみる
○○さんとの商談で話が思うように進まなかった	自分に足りないのは雑談力だと思った	いろいろな人と話をしてトレーニングする必要があると思う	明日、話し方教室を探してみよう
レッグプレスを60kgで10回×3セット	この前は筋肉痛だったのに、今回は効いている感じがしない	負担が軽いのか、器具の使い方が間違っているのか	明日、トレーナーさんに相談してみよう

リフレクションノートとは

1日5分の振り返りが、モチベーションを上げる

リフレクションとは「省察」のことで、簡単にいうと「振り返り」のことです。

私が心理学を学んだケンブリッジ大学の大学院の授業では、毎回、このリフレクションについて指導されました。

行動はもちろん大事ですが、それをしっかりと振り返ることも同じく重要です。この振り返りがあるからこそ、自分を高めていくことができるのです。

それを私なりにノートに落とし込んだのが、リフレクションノートです。基本的にはPDCAのサイクルを回すことを主としています。下図のようにPDCAの各項目に感じたことを書き込むだけなので、簡単に始められます。

1日5分の振り返りが、モチベーションを上げる仕組み作りには最適です。

なぜPDCAなのか？　それは、改善を重ねていくにはPDCAが最適なツールだからです。

「振り返り」ができるリフレクションノート

接客時に商品のメリットが伝わったのか？
振り返りが大事！
お客様の立場になって考えよう

20XX/12/11

(D)	(C)	(A)	(P)
個人売上が目標を10%下回った	客数の割に客単価が低かった	一人一人の提案をもう少し強化する必要があると思う	明日は、AとBをセットで使うことの効果をトークに入れてみる
○○さんとの商談で話が思うように進まなかった	自分に足りないのは雑談力だと思った	いろいろな人と話をしてトレーニングする必要があると思う	明日は、話し方教室を探してみよう
レッグプレスを60kgで10回×3セット	この前は筋肉痛だったのに、今回は効いている感じがしない	負担が軽いのか、器具の使い方が間違っているのか	明日、トレーナーさんに相談してみよう

COLUMN 3

PDCAについてもう一度整理しよう

PDCAのPは**「Plan」**で**計画**や**仮説**のことです。Dは**「Do」**で**実行**を指し、Cは**「Check」**でその行動から得た**結果の検証**、つまり**気づき**のことです。最後にAは**「Action」**で**改善策**を表します。

PDCAは、スポーツにも当てはまります。まず試合前に相手を分析して弱点を見つけ、その弱点を中心に攻めることで勝とうという計画（P）を立てて、試合に臨みます。試合に臨んで弱点を攻めることが、ここでは実行（D）ですね。

しかし、試合中に思ったほど計画していた攻め方ができないことはよくあります。そのときに、計画通りに試合を進められていないことに気づくのが、PDCAのCです。そしてここで重要なのは、作戦通りに相手を攻撃できていないと気づいた（C）ときに、いかに次の手を打つか、つまり改善策（A）です。

特にサッカーや野球などのスポーツでは、試合展開に合わせて相手も作戦を変えてきます。そのときに、ずっと1つの作戦に執着するよりも、試合の流れのなかで、**いかに冷静に状況を読んで、修正を加えていくかが重要**となります。

まさにこれがPDCAなのです。そして試合中に**PDCAを的確に、スピーディに回せるチームは強い**ものです。

ビジネスでも同じです。新しく開発した商品をオンラインショップで売るために、商品ページの作成を考えているとします。キャッチコピーや商品説明を考えて、掲載用の商品の写真を撮り、100点満点のページをいきなり作ることはやはり難しいものです。

ですから、まずはこれだったら売れるんじゃないかというキャッチコピーなどを考えて（P）、ページを作ってみる（D）。1日のページ訪問者数を確認して、どんな時間帯に、どんな検索ワードで、どんな属性の人がページに訪問していて、ということをアクセス解析を通して検証（C）して、もっと売上を上げるために何かできないか、問題点はないか、ということを改善案に落とし込んでいく（A）ことが大切です。

たとえば、想定よりも多くの女性が関心を示していると検証の結果わかったら、長い商品説明よりも写真の掲載に力を入れてみる。その後、また結果を検証して、アクセス数は増えていないが、売上が伸びたのであれば、成約率が高まったと判断できます。

こうした**PDCAのサイクルを日々の活動に活かすことができたら、行動力がどんどんアップしていく**ことでしょう。

私たちは毎日、たくさんのアクションを起こしています。失敗してしまうことが問題なのではなく、**そのまま放っておくことで、せっかくの成長の種、成功の種を無駄にしてしまうことが何よりももったいない**のです。

日記をPDCAで書くフォーマット

リフレクションノートに書くこと

20XX/12/11

(D)	(C)	(A)	(P)
個人売上が目標を10%下回った	客数の割に客単価が低かった	一人一人の提案をもう少し強化する必要があると思う	明日は、AとBをセットで使うことの効果をトークに入れてみる
○○さんとの商談で話が思うように進まなかった	自分に足りないのは雑談力だと思った	いろいろな人と話をしてトレーニングする必要があると思う	明日は、話し方教室を探してみよう
レッグプレスを60kgで10回×3セット	この前は筋肉痛だったのに、今回は効いている感じがしない	負担が軽いのか、器具の使い方が間違っているのか	明日、トレーナーさんに相談してみよう
起きた出来事を書く	気づきを書く	改善案を書く	今すぐできることを書く

日記より結果の検証を明確に意識できる

今日はどんな1日だったのか、どんな取り組みをしたのか。そして、どう感じて、何が嬉しくて、何がうまくいかなかったのか。このようなことを中心に、日記を書いている人もいるでしょう。

リフレクションノートはまさに日記のようなものであり、そして日記よりも結果の検証を明確に意識できるものです。

今日は何が起こったのか、つまりDを最初に書きます。次に気づき（C）を書き、その気づきからどんな改善策（A）が考えられるかを書いて、最後に「自分にできることはないか？」という計画（P）を具体的に書きます。

「じゃあこの流れを意識して、日記を書けばいいのね」といったところで、うまく実践できる人は多くありません。そこで意識して書く必要がないように、ノートにその仕組みを作ればいいのです。

それが次に具体的に見ていくリフレクションノートです。

29

あの企業が採用している経験学習モデル

きちんと振り返ることで成長の度合いが変わる

リフレクションノートは、アメリカの組織行動学者であるデービッド・コルブが提唱した経験学習モデルにも近いものがあり、ヤフーでも採用されている人材育成の基礎モデルとも言えます。経験学習モデルとは「具体的経験→内省（振り返る）→教訓を引き出す（持論化、概念化）→新しい状況への適用（持論・教訓を活かす）」というサイクルをたどりながら、人は経験から学ぶとしたものです。

　リフレクションの重要性については本書でも強調していますが、やりっぱなしか、きちんと振り返るかで、成長の度合いは大きく変わります。そして成長を感じれば感じるほど、毎日が楽しくなってますます行動的になるのです。

　もし、行動的になれないのならば、行動しなければならないと無理に追い込む必要はありません。「今日という1日の出来事を、じっくりと振り返る時間にしよう」と考えてみてはいかがでしょうか。

成長を感じるほど、ますます行動的になる

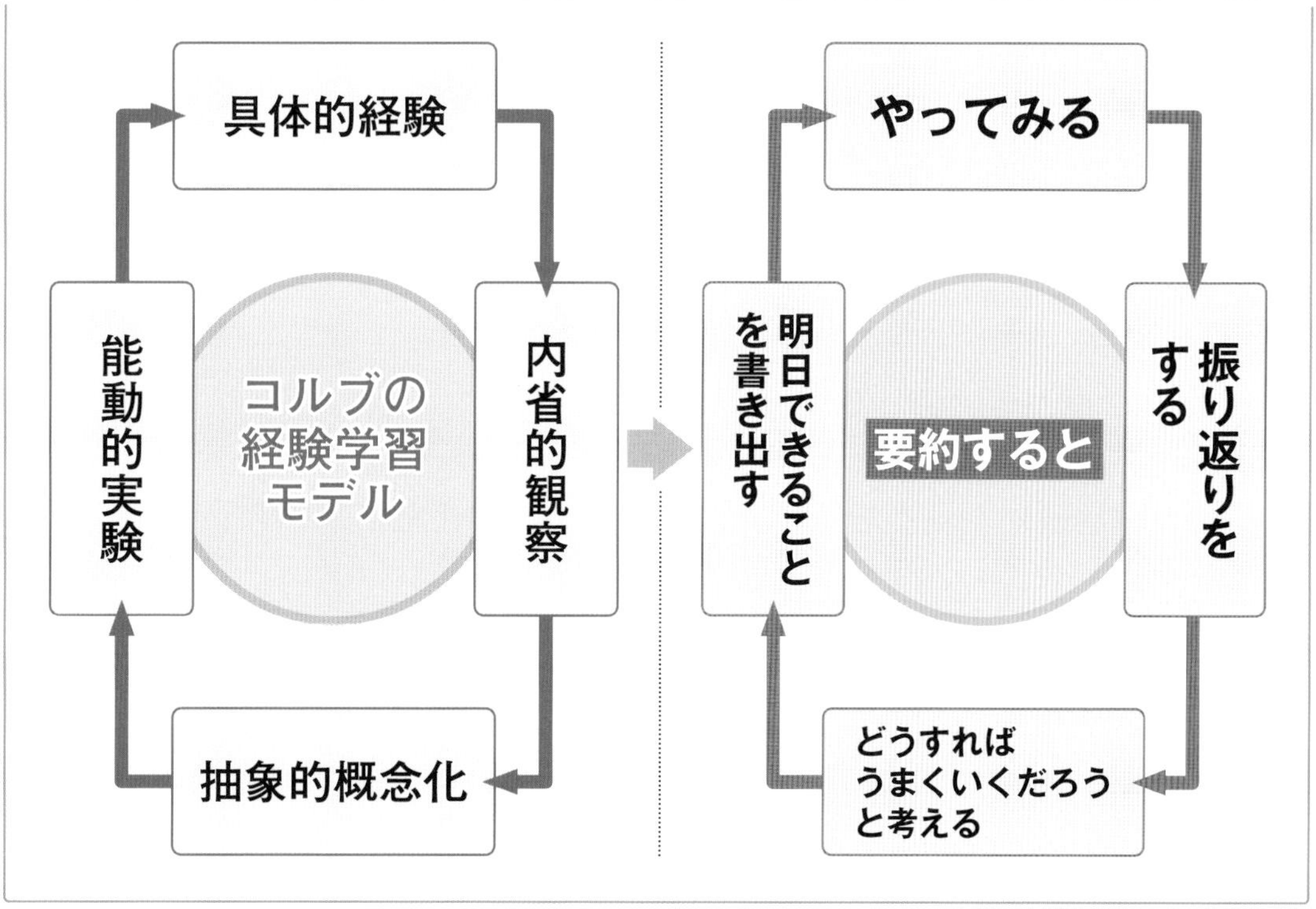
具体的経験
内省的観察
抽象的概念化
能動的実験
コルブの経験学習モデル
要約すると
やってみる
振り返りをする
どうすればうまくいくだろうと考える
明日できることを書き出す

タスコンノートとリンクさせていく

タスコンノートとの合わせ技でより強力に

リフレクションノートを活用するメリットはたくさんあります。

なかでも本書のテーマである先延ばしを撃退して、アクションをどんどん起こしていくという観点では、タスコンノートとリンクさせて活用していくことで、さらに強力なツールに進化します。

つまり、リフレクションの結果、出てきた改善を具体的な行動に落とし込む作業が、その具体的な行動を付せんに落とし込んでいく作業にリンクする、ということなのです。

私はこのノートを日記がわりに続けることで、課題と改善策への意識がどんどん高まり、脳が自然と活性化し始めました。行動するだけでなく、検証と改善への意識が高まるので、向上心が駆り立てられるのです。

常に振り返る思考習慣が身についていくので、やって終わりではなく、行動が行動を連れてくるようになるのです。

リフレクションノートから、タスコンノートへ！

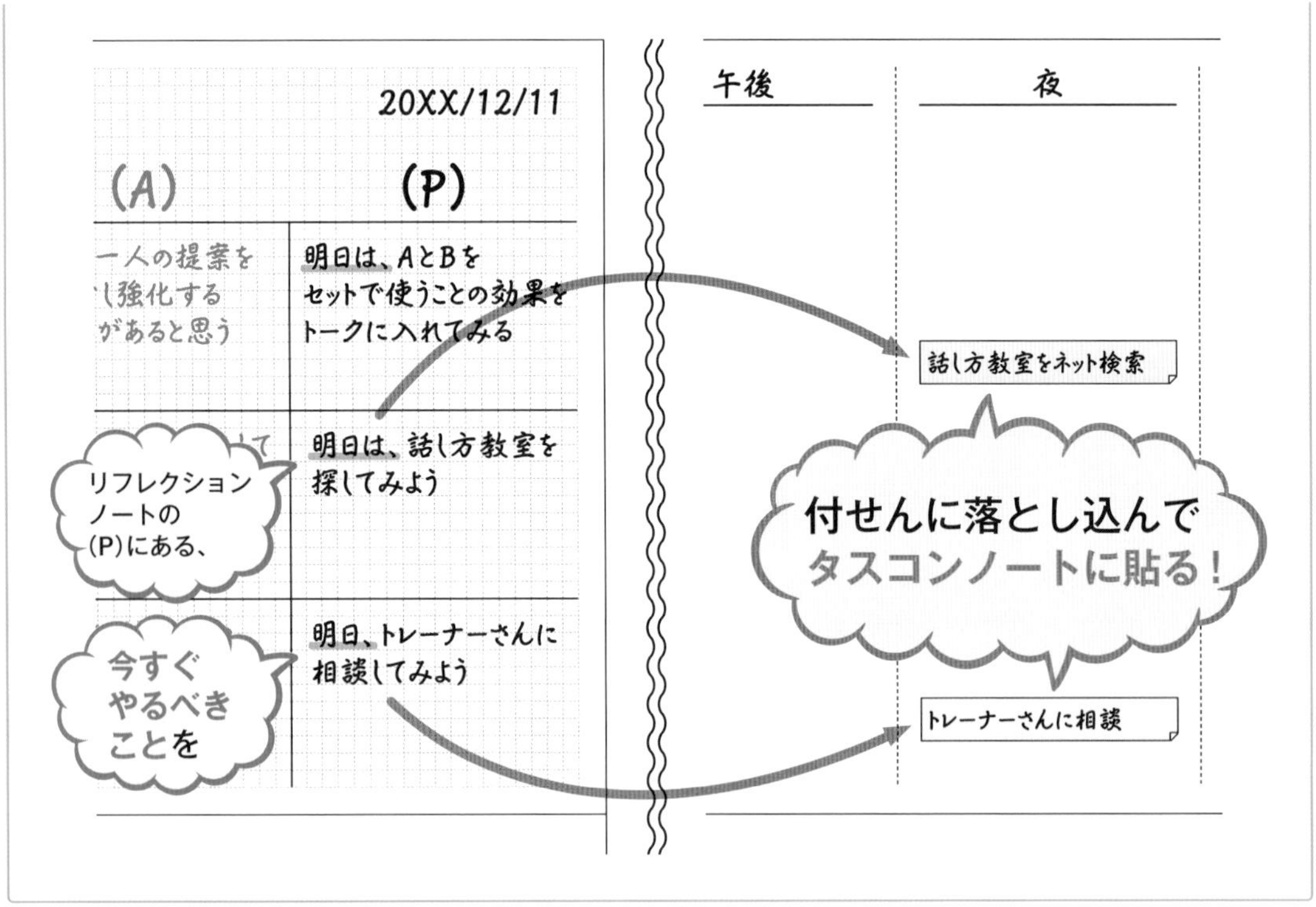

郵便はがき

恐れ入りますが
切手を貼って
お出しください

112-0005

東京都文京区水道 2-11-5

明日香出版社

プレゼント係行

感想を送っていただいた方の中から
毎月抽選で 10 名様に図書カード(1000 円分)をプレゼント！

お名前《ふりがな》	
ご住所	郵便番号（　　　　　）　電話（　　　　　） 都道府県
メールアドレス	

＊ ご記入いただいた個人情報は厳重に管理し、弊社からのご案内や商品の発送以外の目的で使うことはありませ
＊ 弊社 WEB サイトからもご意見、ご感想の書き込みが可能です。

明日香出版社ホームページ　https://www.asuka-g.co

ご愛読ありがとうございます。
今後の参考にさせていただきますので、ぜひご意見をお聞かせください。

本書の
タイトル

年齢：　　歳 ｜ 性別：男・女 ｜ ご職業： ｜ 月頃購入

● 何でこの本のことを知りましたか？
① 書店　② コンビニ　③ WEB　④ 新聞広告　⑤ その他
（具体的には →　　　　）

● どこでこの本を購入しましたか？
① 書店　② ネット　③ コンビニ　④ その他
（具体的なお店 →　　　　）

● 感想をお聞かせください

① 価格	高い・ふつう・安い
② 著者	悪い・ふつう・良い
③ レイアウト	悪い・ふつう・良い
④ タイトル	悪い・ふつう・良い
⑤ カバー	悪い・ふつう・良い
⑥ 総評	悪い・ふつう・良い

● 購入の決め手は何ですか？

● 実際に読んでみていかがでしたか？（良いところ、不満な点）

● その他（解決したい悩み、出版してほしいテーマ、ご意見など）

● ご意見、ご感想を弊社ホームページなどで紹介しても良いですか？
① 名前を出してほしい　② イニシャルなら良い　③ 出さないでほしい

ご協力ありがとうございました。

31

ノートとペンがあれば すぐに始められる

リフレクションノートに適したノートとは？

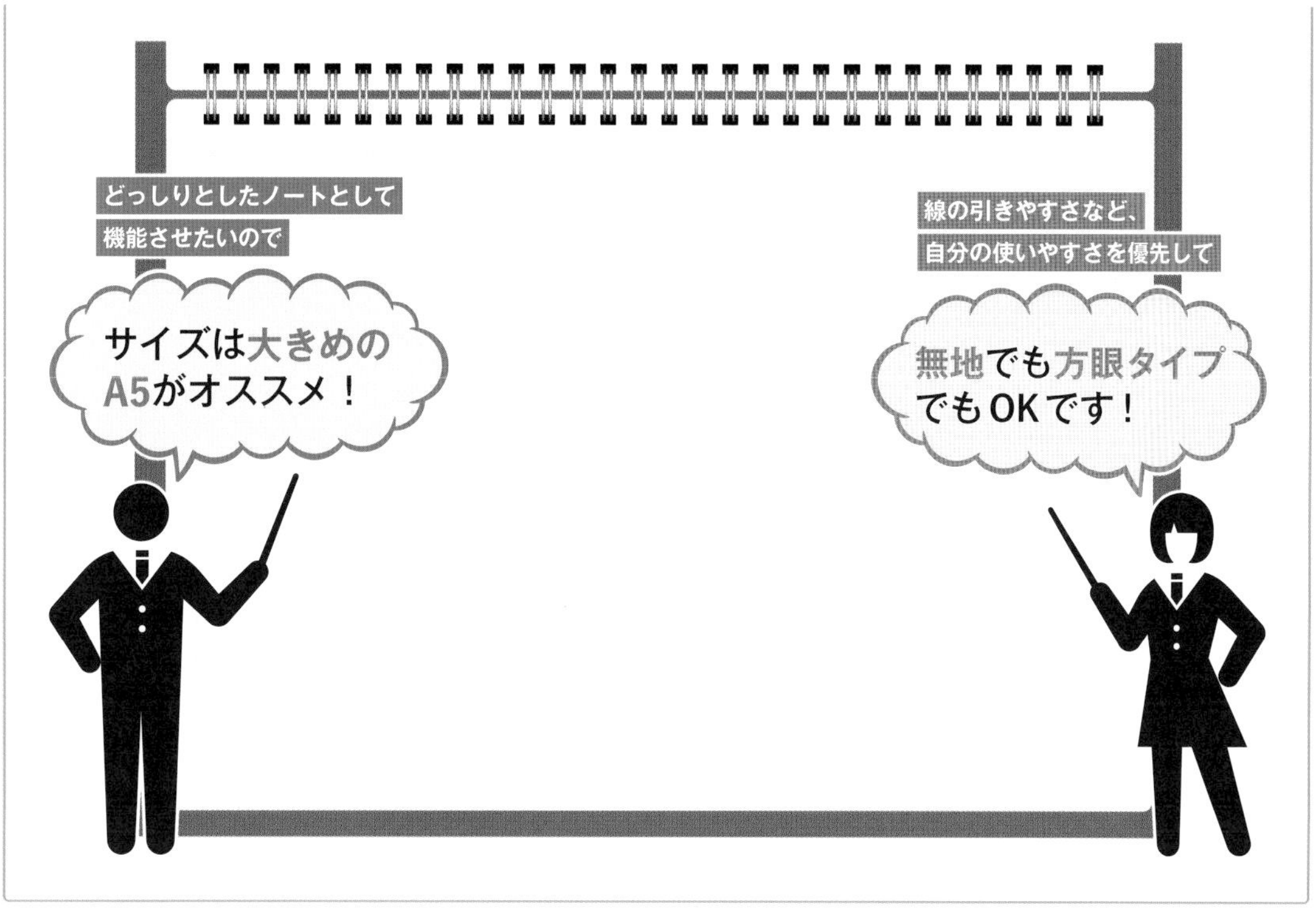
どっしりとしたノートとして
機能させたいので
サイズは大きめの
A5がオススメ！
線の引きやすさなど、
自分の使いやすさを優先して
無地でも方眼タイプ
でもOKです！

ノートのサイズは大きめのものがベスト

リフレクションノートを作成する際に用意するものは、A5サイズのノートとペンだけで十分です。ノートの種類は、無地か方眼タイプがオススメです。

私は大学受験の頃から、無地ノートを愛用しています。線があると線に沿って書かないとどこか気持ち悪く感じますが、自由に書かないと発想が制限されてしまうと感じているからです。

もちろん、これは私の感じ方なので、線を引きやすい方眼タイプが使いやすい人は方眼タイプでも問題ありません。

また、サイズはA6サイズのノートでも悪くはありませんが、リフレクションノートはどっしりとしたノートとして機能させたいので、サイズは大きめのほうがいいでしょう。

ノート1ページの面積が広いので資料の貼り付けもしやすく、日々の活動の軌跡をしっかりと記録できます。

32

1日の行動を振り返りながらラクに書く

D➡C➡A➡Pの順番で書いていく

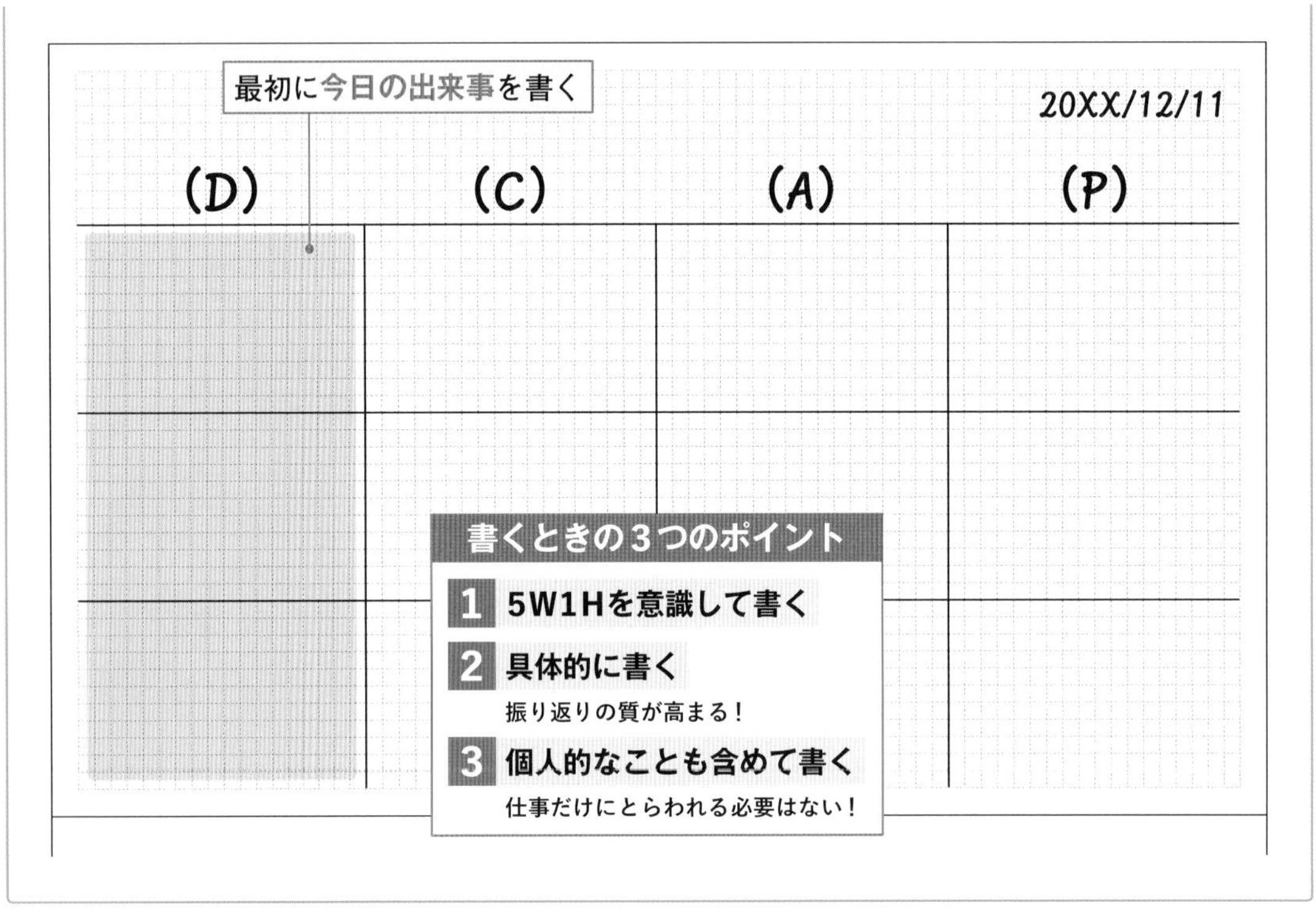
最初に今日の出来事を書く
20XX/12/11
(D)
(C)
(A)
(P)
書くときの3つのポイント
1 5W1Hを意識して書く
2 具体的に書く
振り返りの質が高まる！
3 個人的なことも含めて書く
仕事だけにとらわれる必要はない！

リフレクションノートの書き方はシンプル！

ノートを用意したら横向きにして、縦に4等分になるように線を引きます。そして左から順に、D（Do）、C（Check）、A（Action）、P（Plan）と書き込んでいきます。

1日に2つか3つの出来事を振り返りながら、1つずつDCAPの順番でノートを埋めていきます。

1つの出来事（D）に対してたくさんの改善策が思い浮かべば、スペースを大きくとることになりますので、最初にすべての線を引かずに、1つの出来事について書き出してから、次の出来事に移りましょう。1つの出来事のリフレクションだけで1ページを使うこともあるかもしれませんが、大事な出来事であれば問題ありません。

このように書き方はシンプルなのですが、行動力を高めるため、自分を成長させるためには、抜群の効果を発揮するノートです。日記をつけていた人も、これからはこのスタイルに変更することをオススメします。

リフレクションノートは毎晩書く

寝る前にノートを書くことが一番効果的

鉄は熱いうちに打つほうがいいので、**リフレクションノートは毎晩書く習慣をつけましょう。**

なかでも、**寝る前に取り組むことが一番効果的です。**一晩寝ると記憶が薄れてしまいますし、モチベーションの鮮度も落ちてしまうからです。

下図の「エビングハウスの忘却曲線」によると、人間は20分後には約40％のことを忘れてしまい、24時間後には4分の3も忘れてしまいます。

だから思い出すことに費やすエネルギーとストレスを軽減させるために、その日のうちに見直しをしておくことが重要です。

人間は忘れる生き物です。忘れることが正常で、なんでも一度で記憶できてしまうほうが異常、といってもおかしくありません。

そのため、「すぐやる人」たちは**記憶ではなく記録に頼ることで、次の行動へのきっかけをつかんでいくのです。**

人間は忘れる生き物。だからこそ記録する

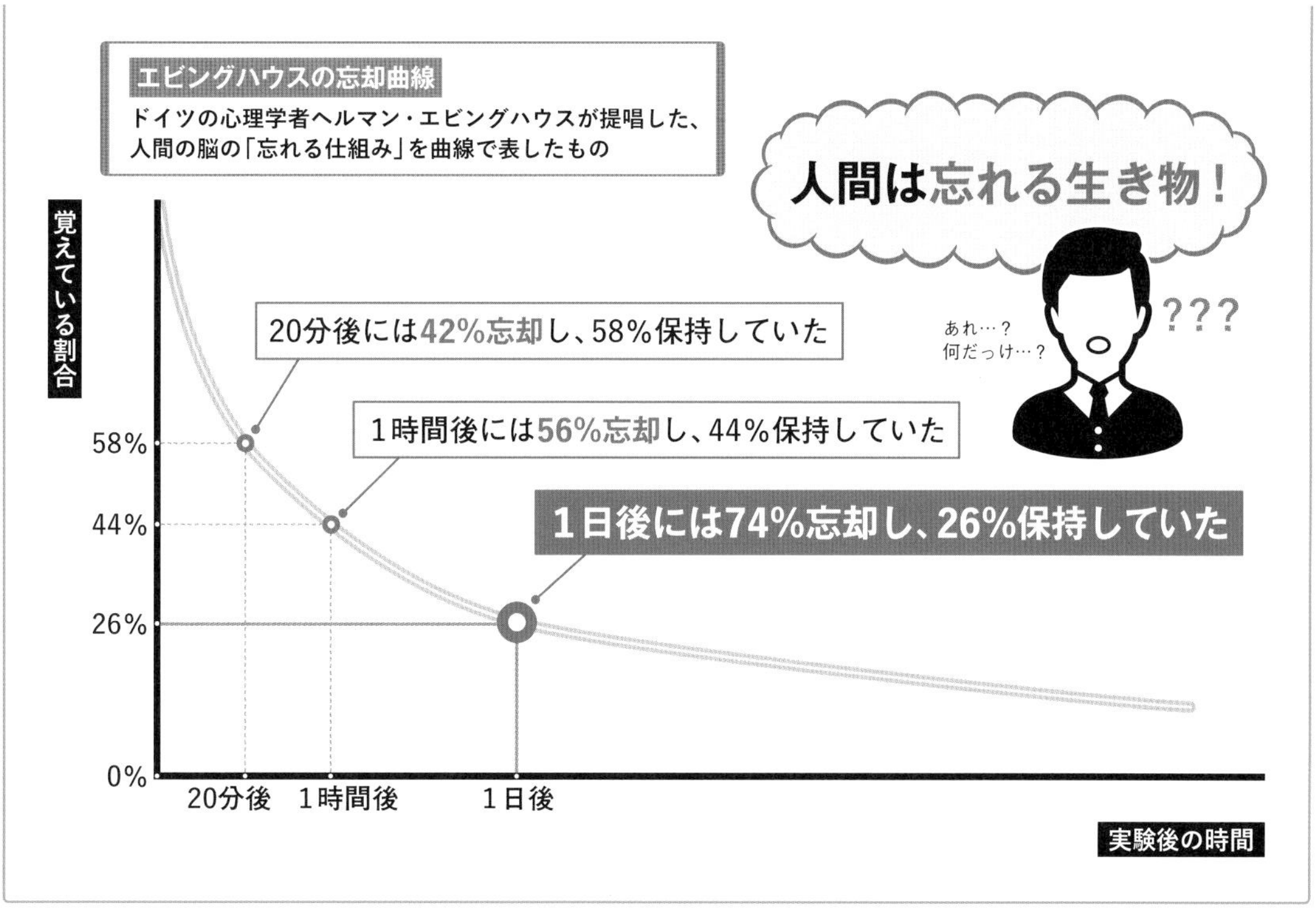
エビングハウスの忘却曲線
ドイツの心理学者ヘルマン・エビングハウスが提唱した、人間の脳の「忘れる仕組み」を曲線で表したもの
人間は忘れる生き物！
あれ…？
何だっけ…？
???
覚えている割合
20分後には42%忘却し、58%保持していた
1時間後には56%忘却し、44%保持していた
1日後には74%忘却し、26%保持していた
58%
44%
26%
0%
20分後
1時間後
1日後
実験後の時間

DCAPを埋めていく

まずは「Do」を書く

1日を振り返ってみて、実行したことや起こったことをトップ3に絞り込んで書き込みましょう。

たくさんの出来事からトップ3を選ぶのは難しいかもしれませんが、人間の脳は一度に3つ程度の情報しか処理することができませんし、何より量より質が大事です。

それ以上の出来事を毎日振り返るとなると、心理的負担も大きくなります。

また、重要な出来事は何か、何に重点を置いて取り組んでいるかがぼやけてしまうので、3つあれば十分です。時間がない場合や慣れないうちは、一番重要と感じた1つを中心に書けばよいでしょう。

何をしたのかを書き込む「Do」のスペースは、具体性が重要です。誰と／何を／何回のように、より具体的な活動の記録を書き込んでいきます。具体的であればあるほど、それ以降の検証（C）や改善（A）も具体的になるからです。

ノートは誰に見せるものでもありません。自分を奮い立たせ、行動をする、成果を出すためのものです。図①のように、自分のDoを書き込んでみましょう。

次に「Check」で気づきを書く

次に重要なのは、気づきや思ったこと、感じたことをどんどん書き出していくフェーズです。

図②のように、気づきや感じたことをCの欄に書いていきます。

誰かに見てもらうための報告書ではないので、飾らず、自然な言葉で素直に書くことが大事です。

頭のなかにあるものを全部吐き出すつもりで、どんなことも書き込みましょう。そうすることで、意外な気づきから思わぬアイデアが生まれることもよくあります。

続いて「Action」で改善策を書く

ここは、課題への改善策を考えるフェーズです。大事なのは、トライアンドエラーをくり返しながら質を高めていくことで、正解を求める必要はありません。

完璧な答えを出そうとすると、考えが萎縮してしまいます。ですから「かもしれない」といった感じで、自分が考え得る改善策を書き出していけばいいのです。

図③のように、次の行動を生み出すための改善策を思いつく限りどんどん書き出していきましょう。

最後に「Plan」で計画を具体的に書く

ここは、次の一手を具体的にするフェーズです。「明日、何を試してみるか？」といった視点で、具体的な行動を考えてみることが、ここでのキーとなっています。

だから、なるべく明日できる具体的な一手が望ましいのです。つまりここでの基準は「〇〇してみよう」ということです。

図④のように、ここで出てきた具体的な次の行動計画をタスコンノートとリンクさせて、付せんに落とし込んでいけば、行動が次の行動へと連鎖し始めます。

1日を振り返りながら書き込んでいく

1 (D)＝Do 起きた出来事を書く

1日を振り返ってみて、実行したことや起こったことのトップ3を書く。時間がない場合や慣れないうちは、一番重要と感じた1つを中心に書けばOK

図①

20XX/12/11

(D)	(C)	(A)	(P)
個人売上が目標を10%下回った			
○○さんとの商談で話が思うように進まなかった			
レッグプレスを60kgで10回×3セット			

2 (C)＝Check 気づきを書く

気づいたこと、思ったこと、感じたことを書く。頭のなかにあるものを全部吐き出すつもりで、飾らず、自然な言葉で素直に書くことが大事

図②

20XX/12/11

(D)	(C)	(A)	(P)
個人売上が目標を10%下回った	客数の割に客単価が低かった		
○○さんとの商談で話が思うように進まなかった	自分に足りないのは雑談力だと思った		
レッグプレスを60kgで10回×3セット	この前は筋肉痛だったのに、今回は効いている感じがしない		

3 (A)＝Action 課題への改善策を書く

次の行動を生み出すための改善策を思いつく限りどんどん書く。正解を求める必要はなく、「かもしれない」といった程度でもOK。自分が考え得る改善策を書けばいい

図③

20XX/12/11

(D)	(C)	(A)	(P)
個人売上が目標を10%下回った	客数の割に客単価が低かった	一人一人の提案をもう少し強化する必要があると思う	
○○さんとの商談で話が思うように進まなかった	自分に足りないのは雑談力だと思った	いろいろな人と話をしてトレーニングする必要があると思う	
レッグプレスを60kgで10回×3セット	この前は筋肉痛だったのに、今回は効いている感じがしない	負担が軽いのか、器具の使い方が間違っているのか	

4 (P)＝Plan 計画を具体的に書く

「明日、何を試してみるか？」といった視点で、具体的な行動計画を書く。なるべく明日できる具体的な一手が望ましい。書く際には、「明日は」などの言葉を入れることがポイント

図④

20XX/12/11

(D)	(C)	(A)	(P)
個人売上が目標を10%下回った	客数の割に客単価が低かった	一人一人の提案をもう少し強化する必要があると思う	明日は、AとBをセットで使うことの効果をトークに入れてみる
○○さんとの商談で話が思うように進まなかった	自分に足りないのは雑談力だと思った	いろいろな人と話をしてトレーニングする必要があると思う	明日は、話し方教室を探してみよう
レッグプレスを60kgで10回×3セット	この前は筋肉痛だったのに、今回は効いている感じがしない	負担が軽いのか、器具の使い方が間違っているのか	明日、トレーナーさんに相談してみよう

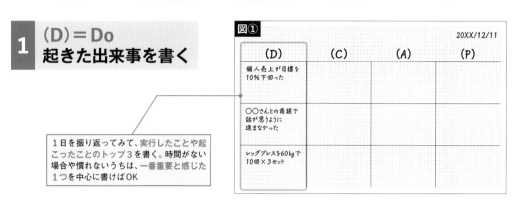

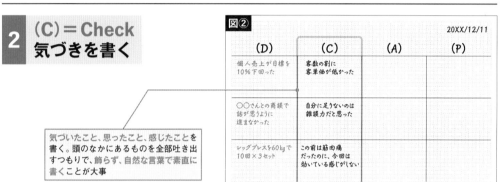

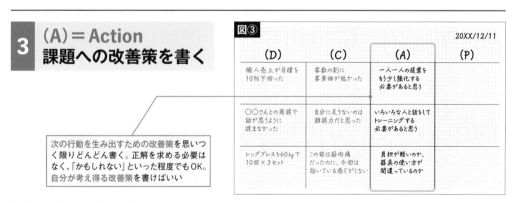

月のはじめには目標を書こう

書いた目標はノートを新調するときに見直す

月のはじめには、ノートの1ページを使って目標を書き込んでいきましょう。

私が使用している1冊が80枚で構成されているノートだと、少なくとも2か月に1回はノートを切り替えることになります。これにより、最低でも2か月に1回は目標の見直しを行えることもポイントです。

どんなに素晴らしい目標を書いても、そのまま放置していたら意味がありません。目標がいつも同じ場所にあり、見直す機会がないと、存在感はどんどん薄くなってしまいます。

そういう意味でも、2か月でノート1冊を使い切った段階で、毎回目標の見直しを行うことが大事なのです。

2か月に1回ノートを新調して、月のはじめに目標を自分の手で書き込む作業をすることで、気持ちをリフレッシュできるのもリフレクションノートの効能です。

ノートの1ページを使って目標を書き込む

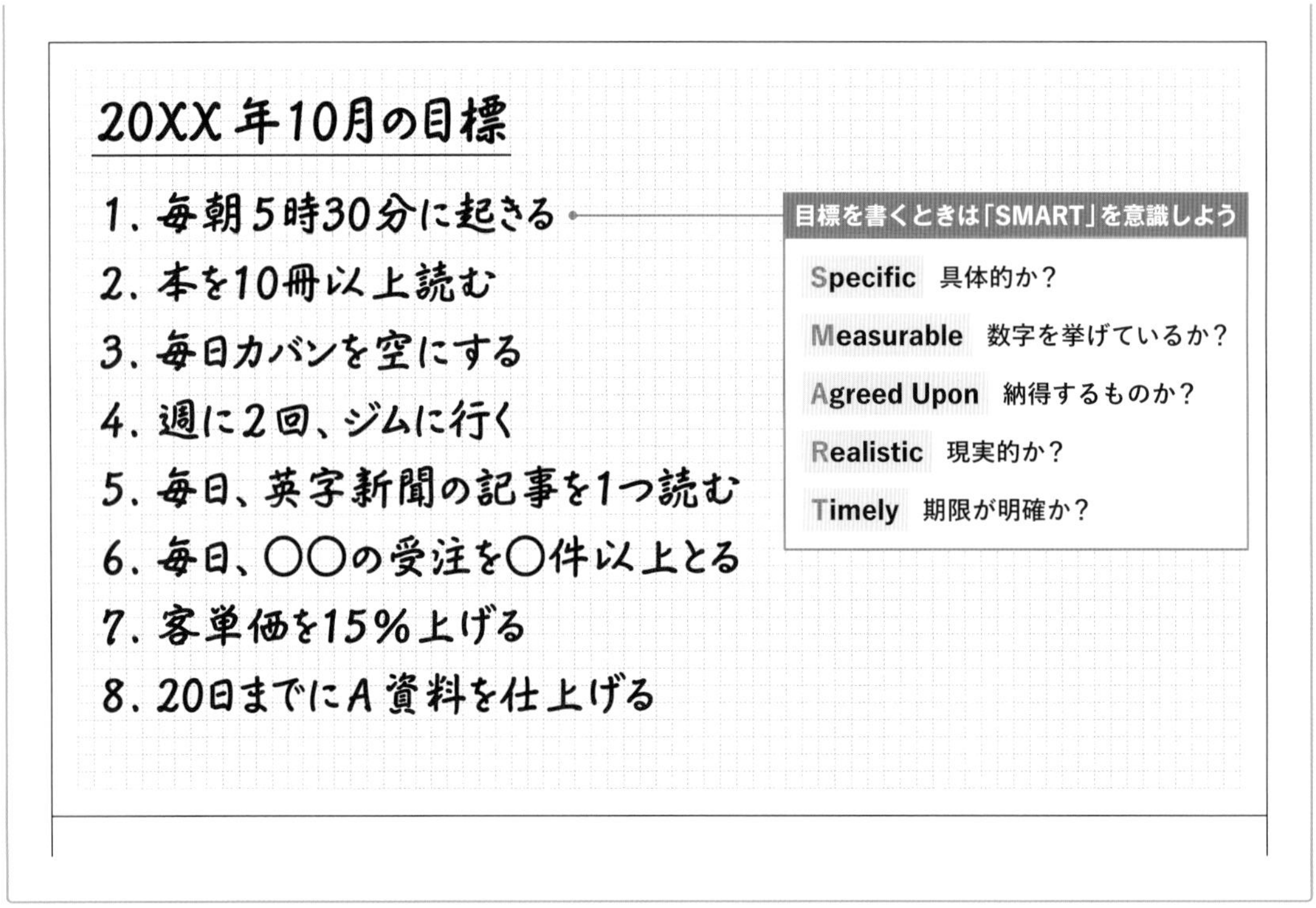
20XX年10月の目標
1. 毎朝5時30分に起きる
2. 本を10冊以上読む
3. 毎日カバンを空にする
4. 週に2回、ジムに行く
5. 毎日、英字新聞の記事を1つ読む
6. 毎日、○○の受注を○件以上とる
7. 客単価を15%上げる
8. 20日までにA資料を仕上げる
目標を書くときは「SMART」を意識しよう
Specific 具体的か？
Measurable 数字を挙げているか？
Agreed Upon 納得するものか？
Realistic 現実的か？
Timely 期限が明確か？

2か月で1冊を目安に

リフレクションノートは2か月で1冊のペースで

ノートは2か月で1冊

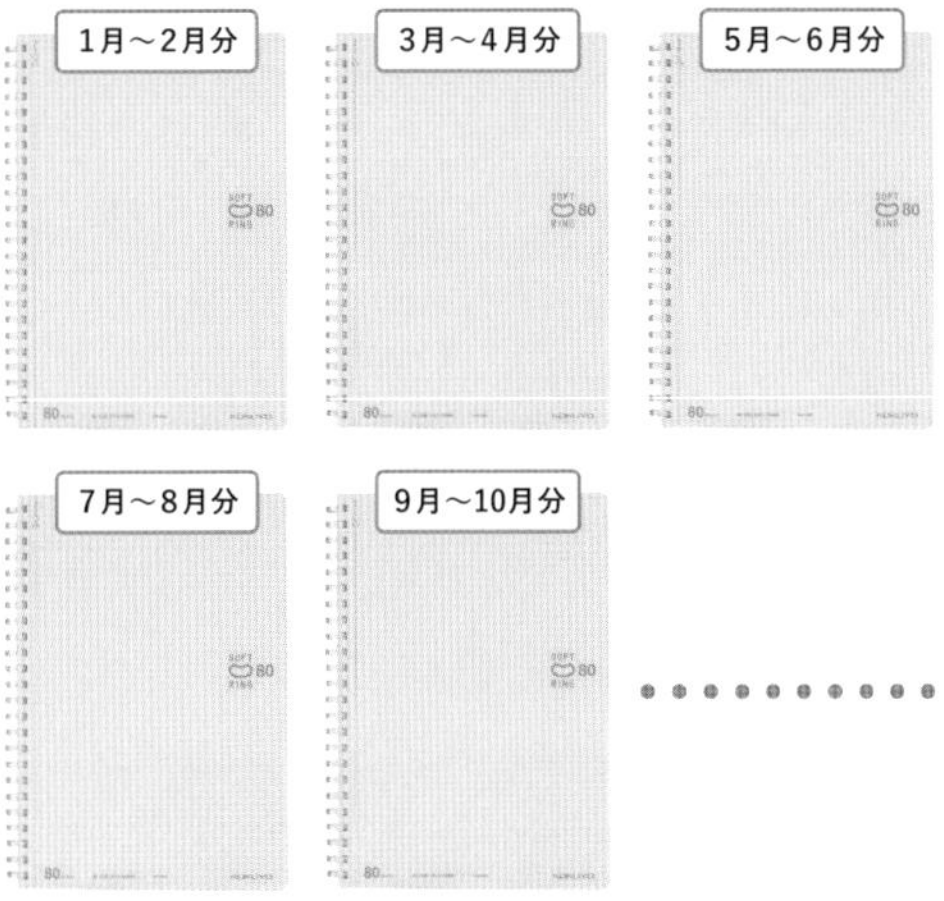
1月～2月分
3月～4月分
5月～6月分
7月～8月分
9月～10月分

**1冊が80枚のノートなら、
1日1ページで使うと、
2か月で1冊のペースになる**

必要な資料があれば貼る

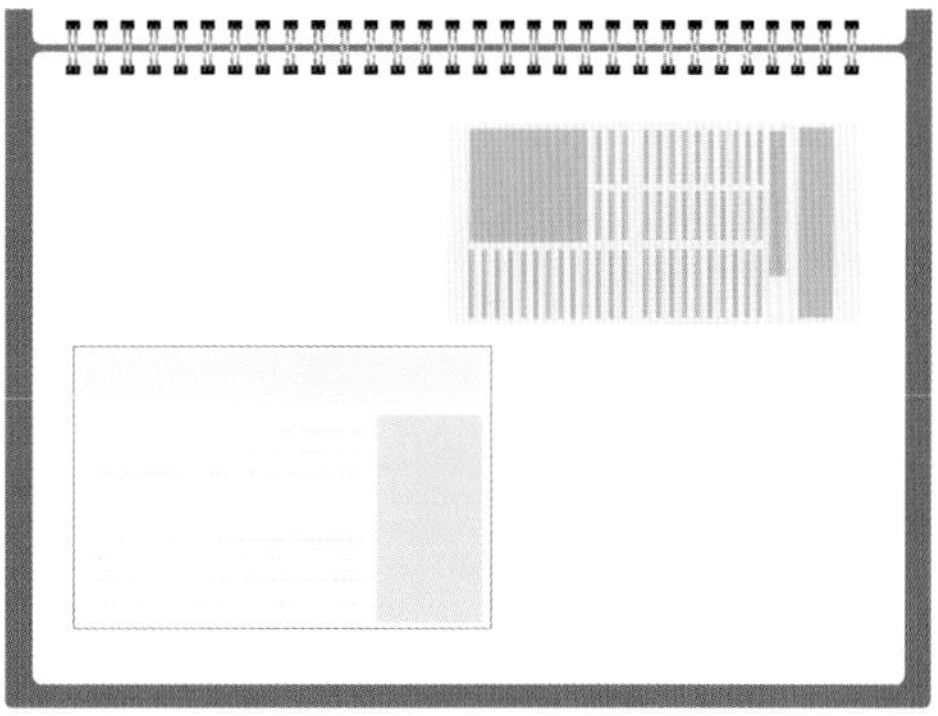

必要な資料の例

- 打ち合わせ時にノートに書いたメモのコピー
- 読んだ本で気になった箇所のコピー
- 新聞記事の切り抜き
- プリントアウトした写真
- トリガーノート（CHAPTER 6 参照）を切り取ったもの　など

ノートは基本的に1日1ページで使う

リフレクションノートは日々の活動の記録ですから、レポートパッドではなく、綴じ形式のノートがオススメです。私はコクヨのA5サイズの『ソフトリングノート』の80枚タイプを活用しています。

綴じ形式だと日々の活動を振り返ることができ、日記のような役割も期待できます。また1冊が80枚なので、それほどかさばることもなく、ちょうどいいのです。

ノートは、**基本的に1日1ページ**で使います。私は**2か月で1冊のノート**と決めています。80枚あるので、2か月分のページと資料を一緒に貼りたいときなどは、その日の次のページに貼ります。こうしておくと、後で振り返るときに情報をとり出しやすくなります。

もちろん、リングノート以外でも問題はありませんが、**リフレクションノートはしっかりと書き溜めていく、つまりストックが目的**なので、個人的にはリングノートが好みです。

受験や資格もリフレクションで

リフレクションノートは、勉強にも応用できる

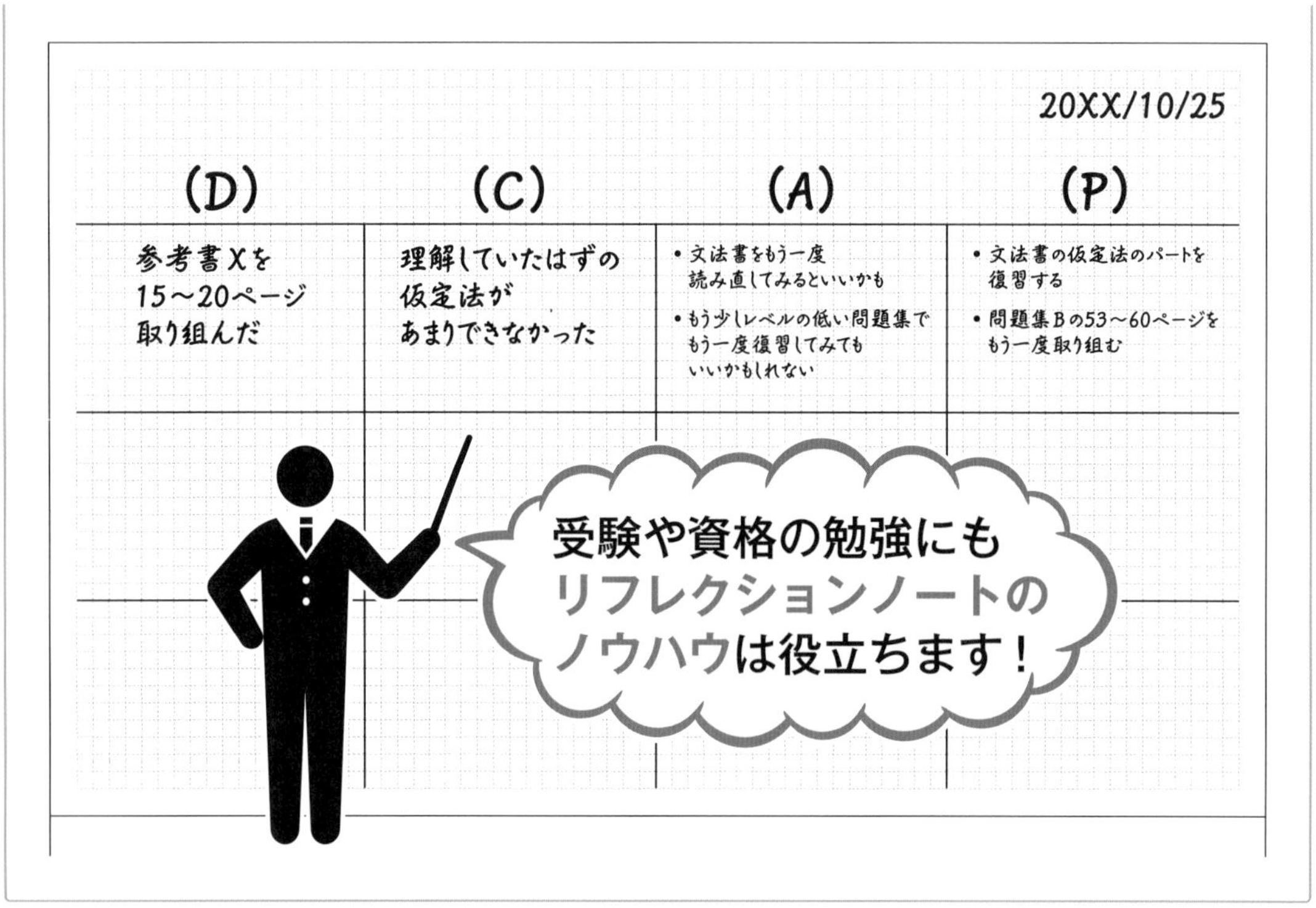
20XX/10/25
(D)
(C)
(A)
(P)
参考書Xを15～20ページ取り組んだ
理解していたはずの仮定法があまりできなかった
・文法書をもう一度読み直してみるといいかも
・もう少しレベルの低い問題集でもう一度復習してみてもいいかもしれない
・文法書の仮定法のパートを復習する
・問題集Bの53～60ページをもう一度取り組む
受験や資格の勉強にもリフレクションノートのノウハウは役立ちます！

勉強においてこそ、振り返りは重要

私は大学受験をしていた頃から受験日記をつけていて、その流れはまさにDCAPでした。

たとえば、

①D
・参考書Xを15～20ページ取り組んだ

②C
・理解していたはずの仮定法があまりできなかった

③A
・文法書をもう一度読み直してみるといいかも
・もう少しレベルの低い問題集でもう一度復習してみてもいいかもしれない

④P
・文法書の仮定法のパートを復習する
・問題集Bの53～60ページをもう一度取り組む

といったように、リフレクションノートのようにすることができるのです。

むやみやたらに突き進むのは、

得策とは言えません。むしろ勉強においてこそ、振り返りは重要です。勉強の肝は、復習にあるからです。

すぐに伸びる人は、復習を大切にしている

私は、これまで5000人の英語学習者をサポートしてきました。すぐ伸びる人と伸びない人の違いは、すべて「振り返り」、簡単に言えば「復習」にあると思っています。伸びない人は前に進むことばかりを考えて、新しいことばかりに取り組んでいきます。

たしかに、新しいことに手をつけることは誰だって楽しいし、前進している気分を味わうこともできるでしょう。

しかし、人間の脳はそもそも忘れるようにできています。復習をせずに前進することばかりを考えるのは、まさに「ザルで水をすくうようなもの」なのです。

よく、「たくさん勉強したのにすぐに忘れてしまいます。私は記憶力が悪いんです」という相談をいただくことがありますが、このような状態になっていないか、振り返る必要はあります。

くり返しますが、すぐに伸びる人は、復習することの大切さを理解しています。

そして前に進むスピードを少し緩めてでも、学習したことをきちんと復習して、理解できていないところは前に戻ってでもやり直しをしています。何事もそうですが、きちんとした土台を築かないと、大きな家は建たないのです。

だからこそ、毎日、振り返る時間をとりましょう。振り返る時間に自分のノートと向き合ってみてください。

- **何がうまくいかなかったか**
- **それを埋め合わせるために、どんなことができるだろうか**
- **明日の行動として、何に挑戦してみるか**

このようなことをノートに書き出していくのです。

1日5分のリフレクションが明日の行動を具体的にしてくれるので、きっとモチベーションが高くなるはずです。

毎日、自分のノートと向き合い、振り返る時間をとる

何がうまくいかなかったか
それを埋め合わせるためにどんなことができるだろうか
1日5分、振り返ってみよう！
明日の行動として何に挑戦してみるか
20XX/11/18
(D)
(C)
(A)
(P)

1日5分のリフレクションが明日の行動を具体的にしてくれる

CHAPTER 3

1日5分で行動を加速させる！

［リフレクションノート］

まとめ

いきなり正解を求めるよりも、とにかく行動をしてみる。うまくいかなかったら、修正を加えて改善していけばいい。

行動と同じく、それをしっかりと振り返ることも重要。振り返りがあるからこそ、自分を高めていくことができる。

リフレクションノートはまさに日記のようなものであり、そして日記よりも結果の検証を明確に意識できるもの。

リフレクションノートは、基本的に1日1ページで使う。そして2か月に1回のペースでノートを新調すると、管理しやすい。

リフレクションノートの月のはじめのページには、目標を書き込む。毎月、目標を見直す機会があるので、気持ちをリフレッシュできる。

リフレクションノートは1日の行動を振り返りながら、D（Do）→C（Check）→A（Action）→P（Plan）の順に書いていく。

リフレクションノートは、毎晩書く習慣をつける。寝る前に取り組むと、より効果的。

CHAPTER 4

打ち合わせ・会議・勉強会で役立つ！トリニティノート

Secrets of active note taking skills

ノートのとり方で「すぐやる力」を高める

実際に行動に移し、結果を出すステップへ！

打ち合わせやセミナーのときにとったノートを読み返して、何をすべきか理解できない、なぜそれをメモしたのかわからない、といったことがありませんか？

「いい話を聞いた」だけで終わらせてしまっては、学んだ知識はどんどん風化していきます。実際に行動に移し、結果を出すためのステップにしていくことが重要です。

打ち合わせやセミナーの後、頭のなかはスッキリとしていて、的確な行動にすぐ移せる準備はできているでしょうか？ そうでないのならば、今すぐノートのとり方を見直していきましょう。

CHAPTER4では、**トリニティノート術**を紹介します。

トリニティとは、英語で「三位一体」のことです。つまり、ノートを3つのパートに分け、それぞれに機能を持たせることで、学んだ知識を、効果的に次のアクションにつなげていくことができるようになります。

ノートのとり方で行動が変わる

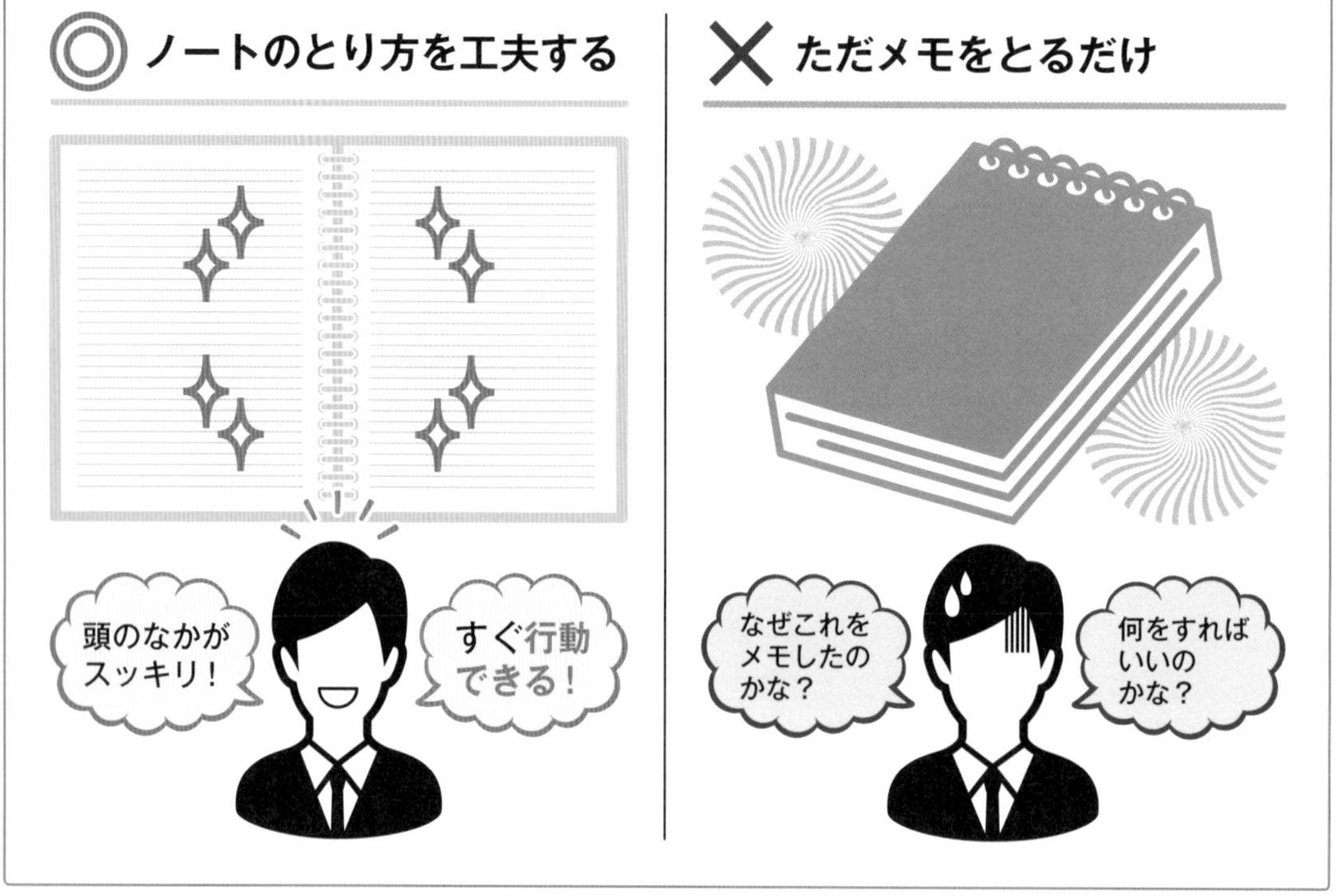
◎ ノートのとり方を工夫する
頭のなかがスッキリ！
すぐ行動できる！
✕ ただメモをとるだけ
なぜこれをメモしたのかな？
何をすればいいのかな？

39

ノートの左右で役割を変える

打ち合わせ用のノート術

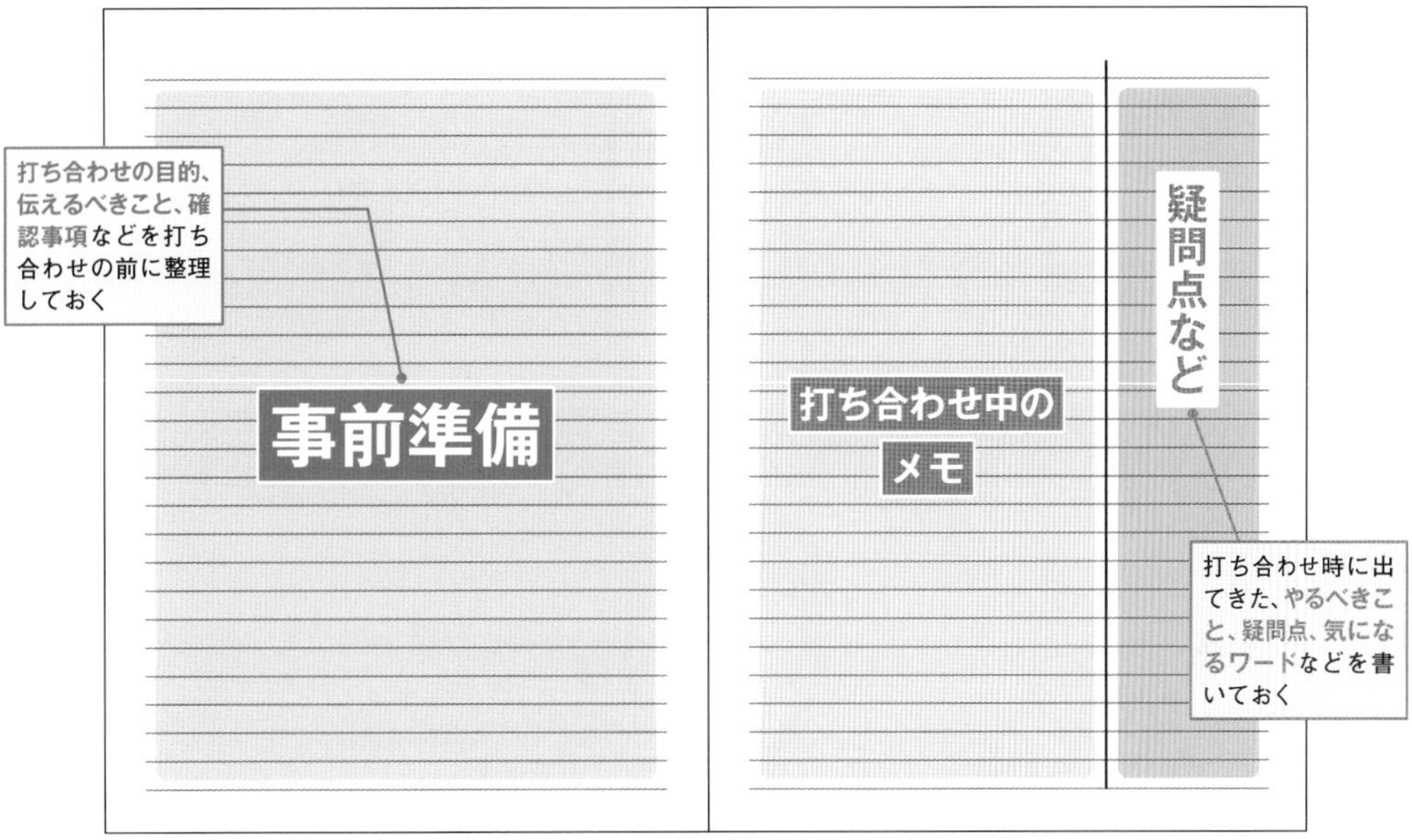
打ち合わせの目的、伝えるべきこと、確認事項などを打ち合わせの前に整理しておく
事前準備
打ち合わせ中のメモ
疑問点など
打ち合わせ時に出てきた、やるべきこと、疑問点、気になるワードなどを書いておく

1つの案件につき、見開き1ページが原則！

左側は事前準備用、右側はノートにして使う

打ち合わせ用でノートを活用するときは、見開きで1つの案件を1ページに収めれば、ノートがスッキリします。左側を事前準備用、右側をノートにして使います。左側には相手の情報や打ち合わせの目的、伝えるべきことや確認事項を書き込んでおきましょう。そうすれば、質問や確認すべきことを聞き忘れることもありません。

そして右側には、打ち合わせの途中で出てきたメモすべき内容をどんどん書き込んでいくようにします。さらに右側は上図のように線を引いて区分けして、その都度出てきた疑問点や気になるワードも書き込んでいきます。

ノートには常に余白を設けておくことが重要です。後から見直してコメントを加筆したり、疑問を余白に書き込んだりします。余白があれば、ついたくさん詰め込んでしまい、後で見返したらゴチャゴチャしていてよくわからない、といった失敗も防げます。

打ち合わせや商談は「準備が9割」

打ち合わせの前に相手を知る

会社のホームページ
ブログやSNS
著作物
○○○○○○○○○○○
□□□□□□□□□□□
△△△△△△△△△
メモしておこう！
なるほど、○○さんは
こういうことに
興味を持っているんだな

打ち合わせや商談の効果を高めるために

打ち合わせや商談は、相手がいることが前提となるので、いきなりぶっつけ本番でノートを開いてはいけません。**打ち合わせや商談の効果を高めるためには、事前準備がとても重要です。**簡単に言えば、はじめて会う人ならば、いかに下調べしておくかがポイントとなるのです。

私は誰かと会うまでに、相手の会社のホームページはもちろん、ブログやSNS、場合によっては著作物などにも目を通します。

ホームページをささっと見て、「こんな仕事なのね」と表面的なことしか見ていなければ、話をするとすぐに相手に伝わってしまいます。そこは気をつけなければなりません。

理由は簡単で、相手も人間だからです。**誰でも関心を持ってもらうことは嬉しいものです。**その反面、関心を持っているかどうかに、どうしても敏感になります。

そのため、特に相手が発信して

いる情報で、話のネタになりそうなものを、まずはノートに書き出しておきます。

「最近は○○に興味を持っているんだな」

「□□に出張されたんだな」

といったことを、キーワードベースでいいのでノートに小さく書き出してから打ち合わせや商談に臨むのです。

相手といかにラポールを築くかが重要

仕事も、人と人とのつながりであることに変わりません。相手にも日々の活動やプライベートがあり、表面的に見えない部分も存在するわけです。

たとえば、相手から熱狂的に応援しているスポーツチームの話が出たら、その結果を少し調べてみます。そしてノートに軽くメモをしておき、「最近、○○チームが調子いいですね」といった話をしてみます。こういった質問がすべて仕事に直結するわけではないですが、いい関係性を築くには、相手の関心事や発言を記録しておく必要があります。

そして会うたびに同じ質問をされると、「その質問、この前もされたよ」「自分に興味を持ってくれてないんだな」と感じませんか？

それとなく聞いたことでも、相手はしっかりとそのことを覚えていたりするものです。

話を聞いていない人とは、いい関係性を築きにくいものです。だから一見重要ではなさそうなことでも、**相手が話したことはメモをする習慣**をつけてみませんか？

ラポール（rapport）とは、フランス語で「橋をかける」という意味で、心理学やＮＬＰで使われる言葉です。この場合、いい信頼関係を指します。**相手にお願いごとをする前には、いかにラポールを築くかが重要**なのです。

些細なことでもいいので、相手のこと、相手の事業のことについて事前に調べてノートに書き出しておきましょう。そうすることで相手との信頼関係を築きやすくなり、あなた自身も仕事を前に進めることができるようになります。

メモが信頼関係を築く

福岡に出張されたんですよね？
美味しいもの、食べました？
福岡、とてもよかったです～！
ラーメンを食べました！
前回会ったときのメモ
・○月に福岡出張
・とんこつラーメンとモツ鍋が好き
・○○○○○○○○○○○
・□□□□□□□
この前の話、覚えてくれていたんだ♪

相手に興味や関心を持つ人は、信頼されやすい

事前に書き出しておくこととは

何を聞かれるのかを事前に考えておく

私はさまざまな業種の方とお会いして、さまざまなテーマで打ち合わせをすることが多いため、いい準備が欠かせません。

特に仕事を進めるうえで、疑問点などの確認事項はしっかりと尋ねるようにしないと、打ち合わせ後の行動が明確になりません。

たとえば商談では、ファクトについての質問がよくあります。数字やデータなどで質問される可能性があるものは、事前に準備してノートに書き込んでおけば、当然ながら商談もスムーズに進みます。

準備がしっかりできていると、相手からの信頼を勝ちとることができます。想定外の質問が出てきた場合は改めて回答することになりますが、何を聞かれるのかを事前に考えておくことは重要です。

質問や確認事項も書き出しておく

加えて、確認したい項目や質問

打ち合わせ前のノート作り

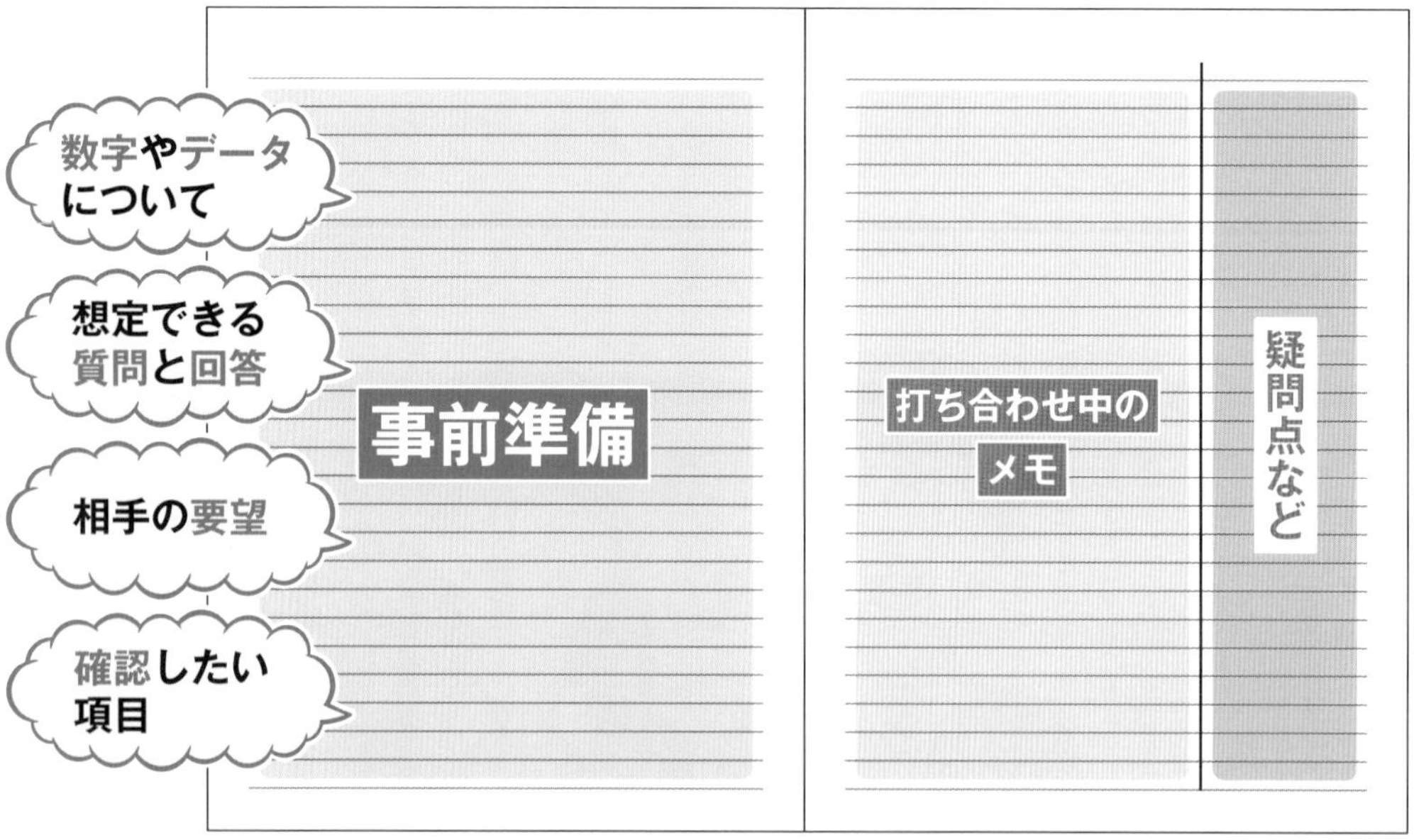
数字やデータについて
想定できる質問と回答
相手の要望
確認したい項目
事前準備
打ち合わせ中のメモ
疑問点など

事前にシミュレーションして、質問事項などを把握しておく

シミュレーションしておけば、相手に信頼してもらえる

は、打ち合わせや商談の前にノートに書き出しておきましょう。

後から「すみません、先ほど聞きそびれたのですが……」とばかり言っていては、信用をなくしかねません。また話の流れが、目的からズレてしまわないようにするためでもあります。

特に話し下手の人は、相手のペースに巻き込まれて、自分が伝えたかったことや確認したいことを口にしないまま、その場を過ごしてしまった経験もあるでしょう。

それでは仕事をうまく前に進めることは難しいので、朝の時間帯に、その日のスケジュールを確認したら、**打ち合わせや商談がどのようになりそうかのシミュレーションをしっかりと行うことが大事**です。

たとえば私の会社は、翻訳業務を受け持っています。しかし、翻訳と言っても単純に日本語を英語にしたり、英語を日本語にしたりという作業をすればいいわけでは、決してありません。

外国人観光客向けのパンフレットの作成であれば、ターゲットの客層や現状の売れ行き、これからの展開などを伺ったうえで、ターゲットに届く言葉にしていかなければいけないのです。

そのため、打ち合わせをするときには、もちろん事前に既存の商品ページを下調べはしますが、口頭で確認したほうがいい質問事項はノートにしっかりと書き出しておきます。

相手の要望などを、こちらが行動に落とし込める単位に、具体的に聞き出せるようにすることがポイントです。

「打ち合わせをして、なんとなく相手の要望や目標はわかったけど、自分たちがどうすればいいのかが具体的にイメージできない……」。これでは、相手に貢献することは難しくなります。

朝にスケジュールを確認したら、ノートを開いてシミュレーションをしてみましょう。**ノートを開いて、どんな質問をするといいか、不明点はないか、などを事前に把握しておくのです。**そして、それらをノートに書き出しておきましょう。

COLUMN 4

A5無地ノートにすべてまとめる

私は会議や打ち合わせ、勉強会では、A5サイズのリング式の無地ノートを活用しています。**無地ノートは、自由度が高いというのが、一番の理由**です。

話を聞きながらマインドマップにして整理することもありますし、図を描くことだってあるからです。文字ばかりのノートは見返しづらかったり、言葉と言葉の関係性がわからなくなったりすることもあります。図は、どんどん描き込んでいくといいでしょう。

なかでもお気に入りは、**コクヨの『ソフトリングノート』**です。従来のノートだとリング部分が硬くて手に当たることがありますが、柔らかいので手に当たっても気になりません。

ソフトリングノートには、切り離しが簡単にできるようにミシン線も入っているので、**ページを切り取ってリフレクションノートにそのまま貼ったりすることも可能**なのです。

そしてノートにまとめる際は、**打ち合わせごとに必ず見開きページを変えましょう。**たとえば左ページに別の打ち合わせ内容が書かれた状態で、右ページに今回の打ち合わせ内容を書こうとすると、相手に前回の打ち合わせ内容が見えてしまう可能性があるからです。

差し支えのないものであればまだいいのですが、個人情報などが見えてしまうことも考えられます。私も、打ち合わせ中に相手のノートが見えてしまったことがあり、やはりあまりいい気はしませんでした。「自分とのやりとりも他の人にも見られているのではないか……」と思われても仕方ないでしょう。

リングノートなら、ノートを開いた状態がとても安定しているので、うっかり前のページまでめくってしまうことも少なく、とても使いやすいのです。

コクヨのソフトリングノート
（ソフトリング無地80枚A5白）

- リングが柔らかく、手に当たっても気にならない
- 切り離しができるので、そのままリフレクションノートに貼ることができる

42

些細なこともメモをする

業務以外の周辺情報もおさえておく

打ち合わせや商談中のメモは、とても大切です。さらに発展させて、聞き出したい項目だけでなく、周辺情報もメモしましょう。

周辺情報とは、会話のなかで出てきた個人的なことや悩みなどです。たとえば、「今度、子どもの卒業式があるんですよ」という会話があったら、メモしておきます。そして次に会うときにメモを見直して、「卒業式はいかがでしたか？」と尋ねてみるのです。

これだけで相手との距離は一気に近くなり、いい関係が築けて仕事をしやすくなります。先述のとおり、自分のことを覚えていてくれるのはとても嬉しいものです。

すぐやる人は相手を巻き込むことがうまく、他人を巻き込んで行動を起こしていくためには、いい関係を築くことが不可欠です。業務に関係することは当然メモすると思いますが、それ以外の周辺情報もおさえておくことが、いい関係の構築につながっていくのです。

相手との距離を縮めるメモ

息子さんの卒業式はいかがでしたか？
先月、卒業式でしたよね
小学校のときより感動しちゃって～
もう子どもより親のほうが泣けちゃって…
メモしておいてよかった！
・○○さんの息子さん、中学校卒業
・□□□□□□□□
気にかけてくれて嬉しい！
気づかいができて仕事がしやすい人だな♪

相手といい関係を築けると、仕事がしやすくなる

会議で発言することもまずは書き出してみる

「話はまとめてから伝える」とわかりやすい

会議で発言する場合も、ノートにポイントを書き出してからがいいでしょう。まず言いたいことの結論を書いてから、その説明を書きます。それを踏まえて話せば、要点がうまく伝わります。

説明が下手な人は細かいところから話したりして、結論が最後になることが多いのです。先に結論を意識して話すことで、聞く側は何が大切なのかがわかります。

仕事をスムーズに進めるためには、他人をうまく動かす必要があります。相手を動かす、相手に自分の意見を的確に伝えるために、「話はまとめてから伝える」を鉄則にしましょう。そのために伝えたいことを書き出してみるのです。

また下図のように、長い文章ではなく、ポイントを箇条書きにしましょう。私は、主張→理由の流れで書き出します。主張から矢印を引っ張って「なぜそう思うのか」の核となる言葉を書き出してから話すと、的確な発言ができます。

ノートに書き出すときは、ポイントを箇条書きで！

◎ 箇条書きにする

輸入はコストが高くなる ― 主張
↓
- 輸送費
- 通関代行費用
- 保管料
- ○○○○○
- □□□□
- △△△△△△
- ◇◇◇◇◇

（理由）

主張→理由の流れで書き出すと的確にまとめられる

✕ 文章でまとめようとする

輸入をする場合、まず、輸送費用がかかるため、コストが高くなります。また、通関の手続き代行費用や保管料なども必要になり、□□○○○○○○○○○○○○○○○○○○○○○○○○○○○○○○○○○○○○○○△△△△△△△△△△△△△△△△△△△△△△◇◇◇◇◇◇◇◇◇◇◇◇◇◇◇◇◇

文章にすると長くなりがちで、要点が伝わりにくいことも

44

勉強会やセミナーは「コーネル式ノート」で！

コーネル式ノートのポイント

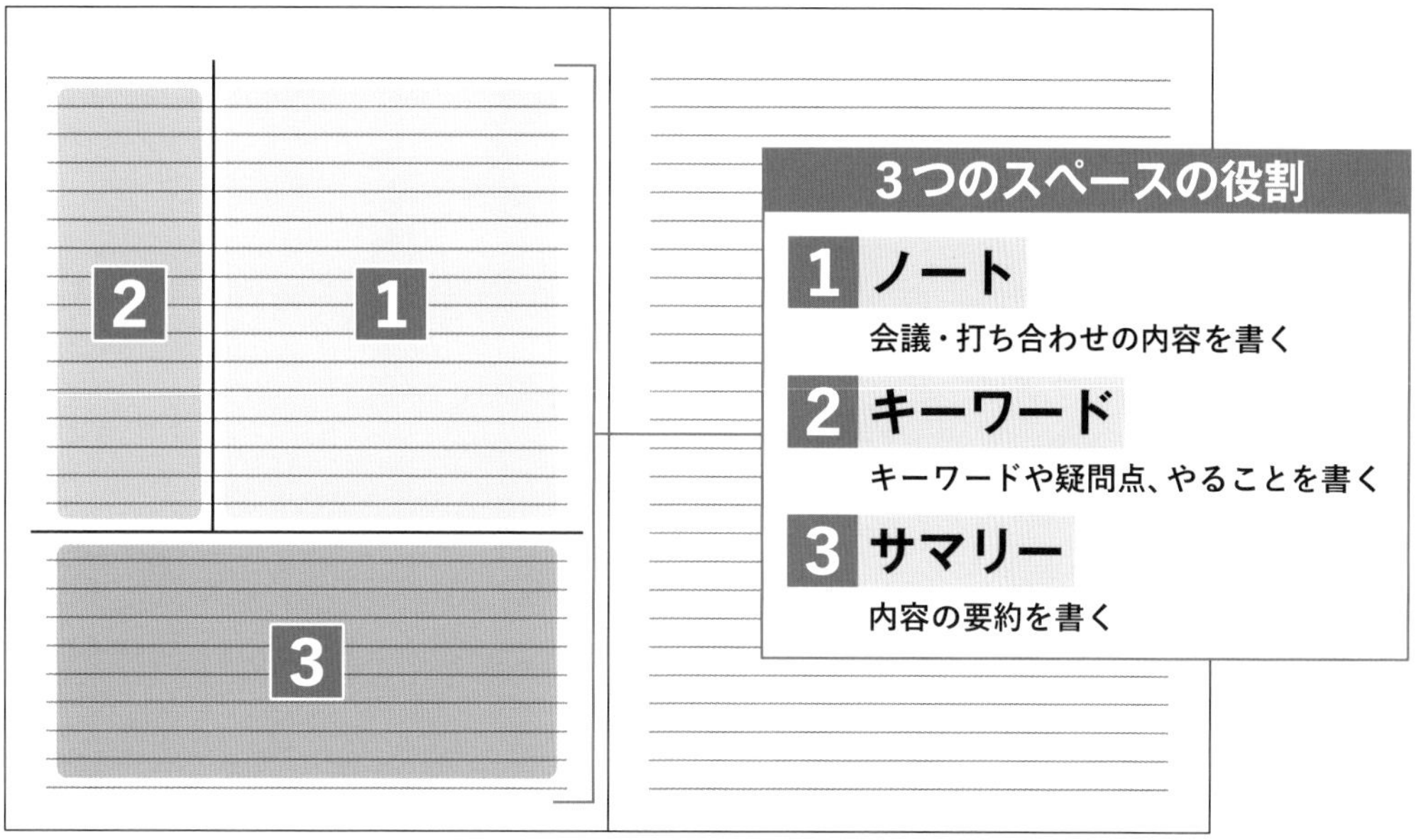
2
1
3
3つのスペースの役割
1 ノート
会議・打ち合わせの内容を書く
2 キーワード
キーワードや疑問点、やることを書く
3 サマリー
内容の要約を書く

ページを「ノート」「キーワード」「サマリー」に分けて使う

授業の理解が深まるコーネル式ノート

コーネル式ノートとは、1989年にアメリカのコーネル大学のウォルター・ポーク氏が考案したノート術のことです。もともとは授業を効率よく学ぶために開発されたもので、私がケンブリッジ大学で学んでいたときもこのノート術が推奨されており、実際に授業などで活用していました。

コーネル式ノートは、ページを「ノート」「キーワード」「サマリー」の3つに分けて使います。ノート欄には、板書などの授業の内容を書き込みます。キーワード欄には、復習するときに重要なポイントを書き出していきます。そして最後に、サマリー欄に要約を書いていきます。

余白を残しておくことで、復習がしやすくなります。復習はとても重要です。コーネル式ノートのメソッドを使って授業を受けたら、重要な点はどこかを考えますし、サマリー部分に要約して書き出すことで、理解が深まるはずです。

塚本式勉強ノートの応用

トリニティノート実践①

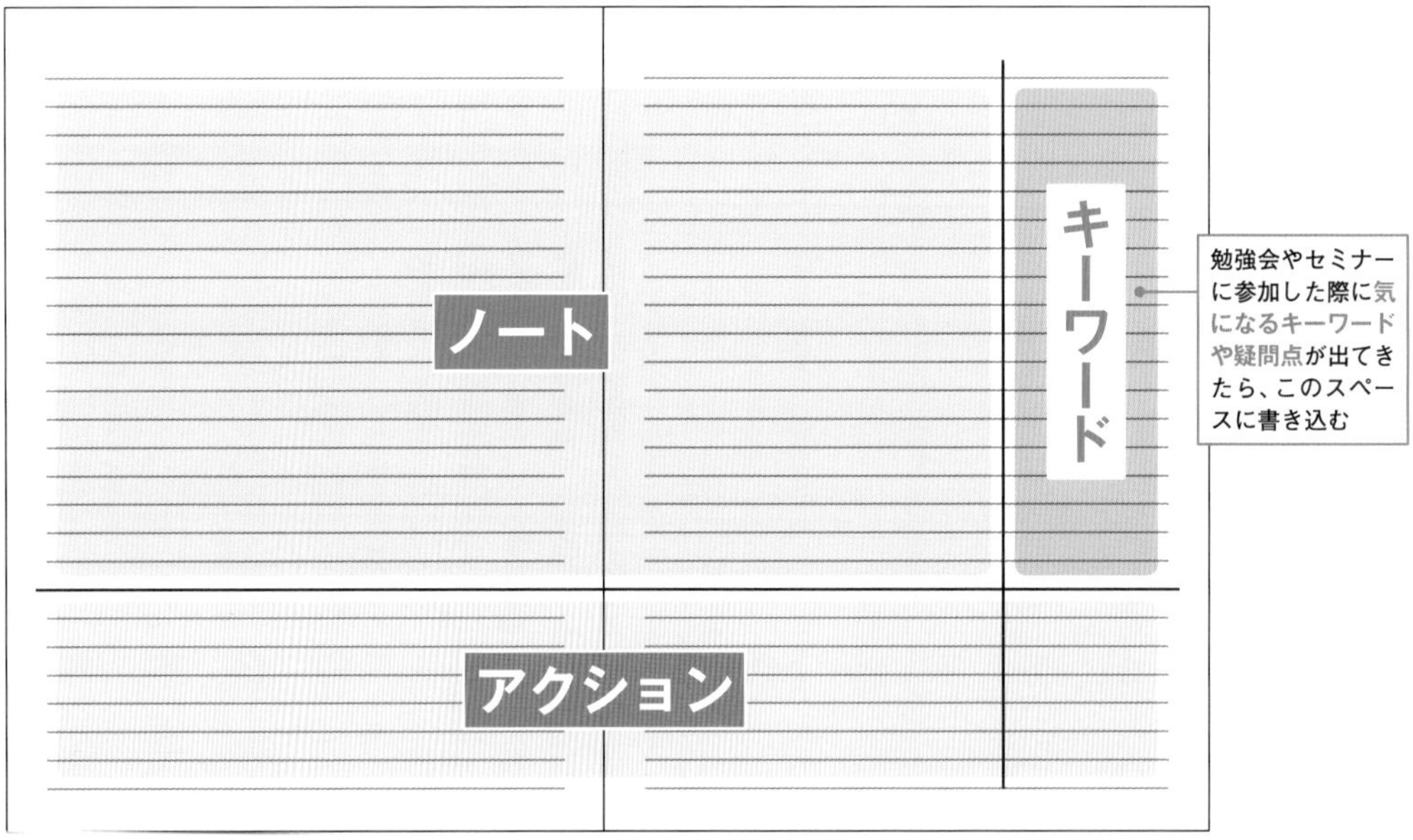
ノート
キーワード
アクション
勉強会やセミナーに参加した際に気になるキーワードや疑問点が出てきたら、このスペースに書き込む

疑問点や気になるキーワードを、すぐ解消することができる

疑問点をすぐに解消することが大切

私は打ち合わせや会議、勉強会、セミナーではノートは1冊にまとめていますが、勉強会やセミナーに参加するときには、A5サイズのノートを横向きにして使っています。上図のように、下4分の1くらいに横線を引き、右側4分の1くらいに縦線を引きます。

右のスペースは打ち合わせと同じで、疑問点や気になるワードが出てきたら、それを書き出しておきます。つまり、後で確認したいことがセミナー中に出てきたら、そこに書き込んでおいて、セミナー後に質問します。

そうすることで、疑問点をすぐ解消することができます。疑問に感じたことをそのまま放置しておくと、具体的なアクションにつながらなくなってしまいます。

セミナー中に出てきた脳内のモヤモヤをノートに書き出して、すぐにその場で解消するから、具体的なアクションにつなげることができるようになるのです。

46

具体的なアクション案に落とし込む

学びと行動のタイムラグを作らないようにする

ノートの右側は、セミナー中に浮かんだ疑問点に使うと説明しました。ノートの下部には、「自分だったらこうすればいいかも」といったアクション案を書きます。

セミナーでは、講師の成功例や失敗例を聞くことでさまざまなことを学びます。ただ、忘れてはならないのは、自分のアクションを磨くために参加していることです。

そのまま真似できないものは、「自分の仕事に応用するなら、どんなことができる？」という視点で話を聞きましょう。異業種の話でも、自分の業界ならば「こうしてみる？」「こんなふうに応用できるかも？」と感じたものは、下部にどんどん書いていきます。

そうすれば、ノートを見直したときにアクションに移しやすくなります。学びと行動のタイムラグを作らないようにすると、アクションは速くなっていきます。常にアウトプットを意識したインプットを心がけていきましょう。

トリニティノート実践②

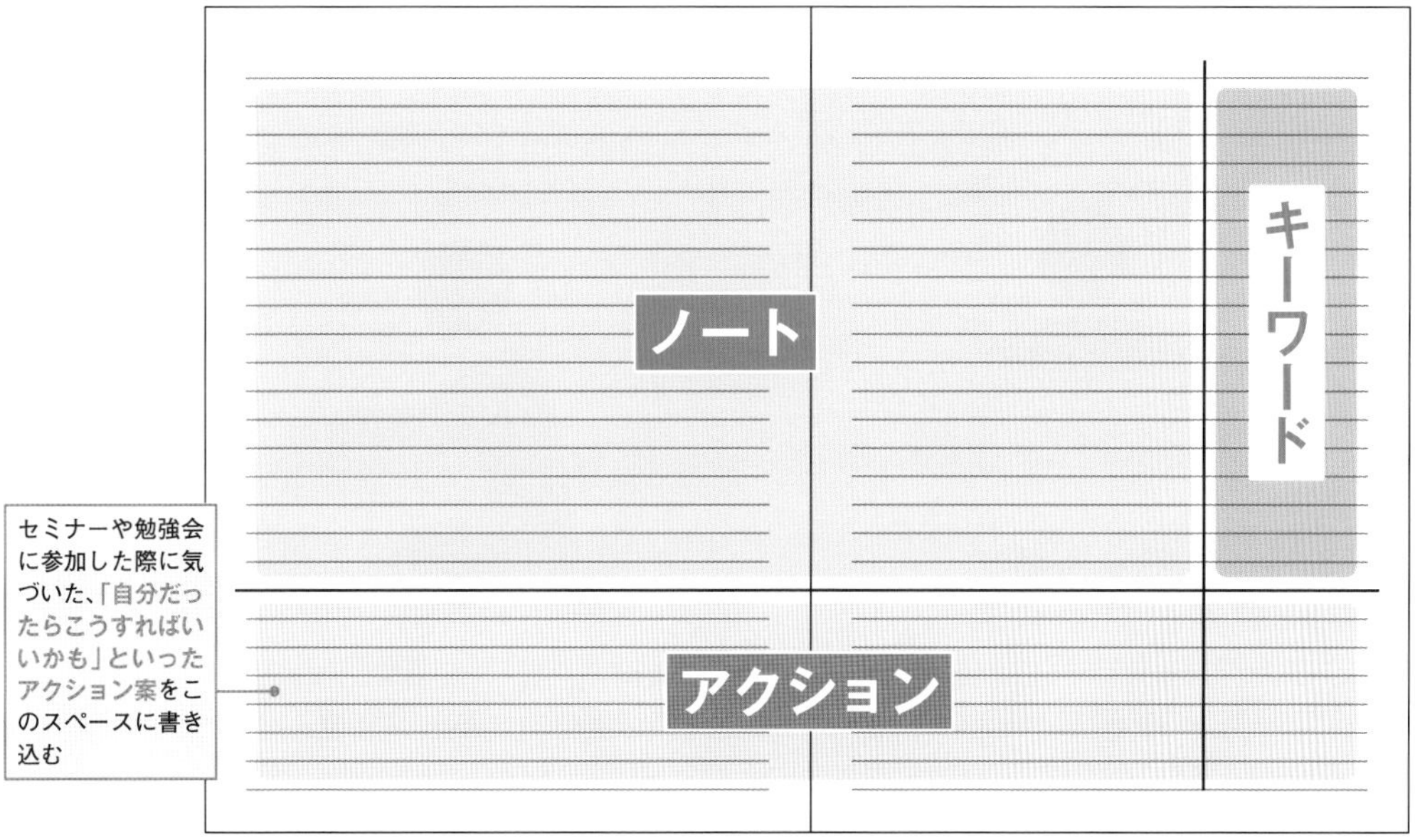
ノート
キーワード
アクション
セミナーや勉強会に参加した際に気づいた、「自分だったらこうすればいいかも」といったアクション案をこのスペースに書き込む

たとえ異業種の話でも、自分に置き換えて考えることが大事

自然な英語力を身につけるノートはこう作る

英語力が伸びる「英語ストックノート」

すぐやる人、成果を出す人は、先述したように、インプットからアウトプットがとても速いわけです。後でまとめようと思っていると、そのうち忘れてしまうこともありますからね。

これを踏まえて、私が英語力を伸ばしたときの、とっておきのノートの作り方を紹介しましょう。

今はコミュニケーションをとるうえで、英語力が求められる時代です。発信力を身につけていかなければなりませんし、やはり表現力や語彙力は、その人の教養を表します。

では、自然な表現力を身につけるには、どうすればいいでしょうか？

質のいい英語に触れて、それを真似するというのが一番です。いい表現に出会わなければ、いい表現力は身につきません。

そして学んだことは、すぐに使ってみることで、はじめてスキルに変わっていくのです。学びをス

学んだことは、すぐに使ってみることでスキルに変わる

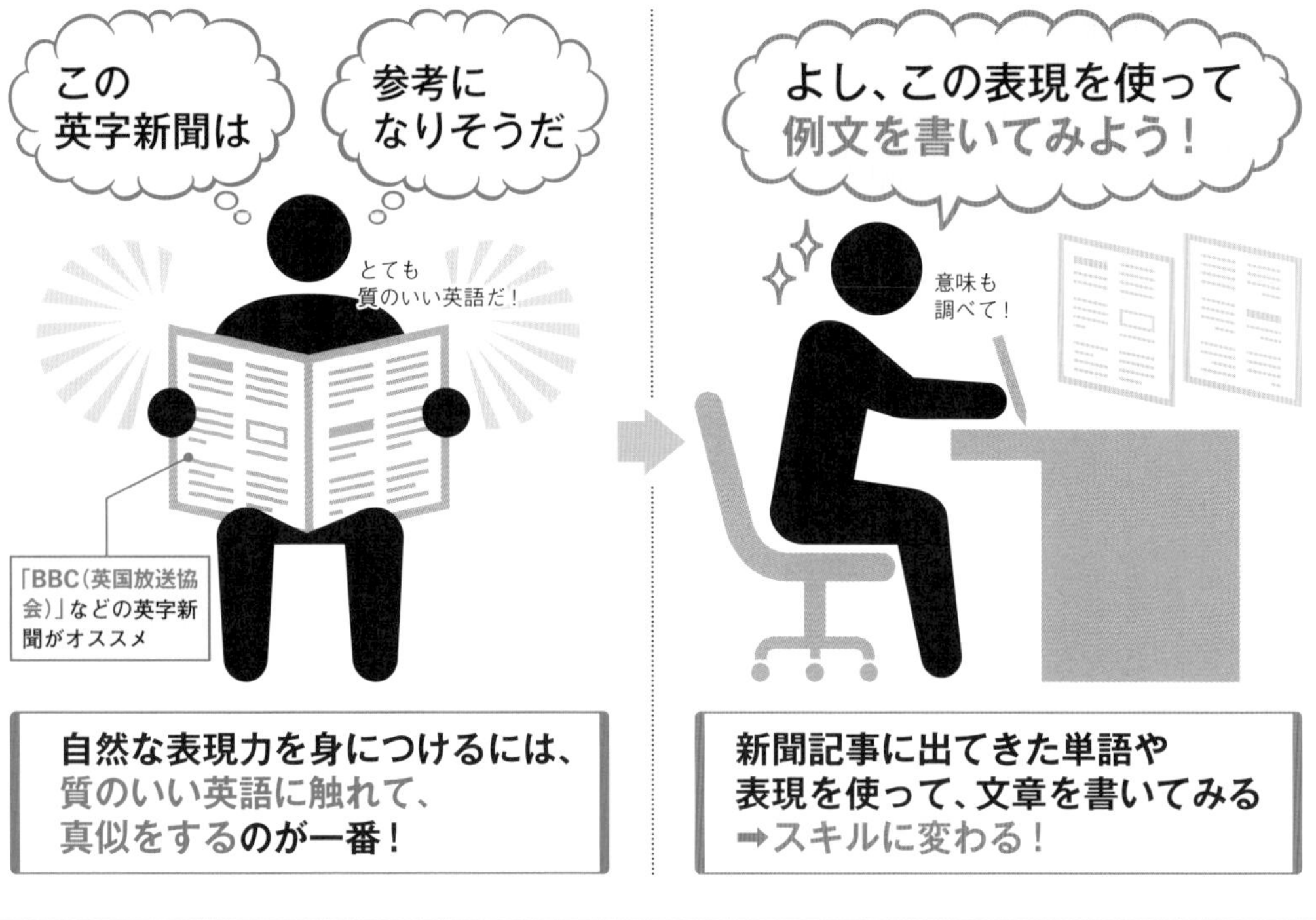
この
英字新聞は
参考に
なりそうだ
とても
質のいい英語だ！
「BBC（英国放送協会）」などの英字新聞がオススメ
よし、この表現を使って
例文を書いてみよう！
意味も
調べて！

自然な表現力を身につけるには、質のいい英語に触れて、真似をするのが一番！

新聞記事に出てきた単語や表現を使って、文章を書いてみる
➡スキルに変わる！

英語ストックノートの作り方

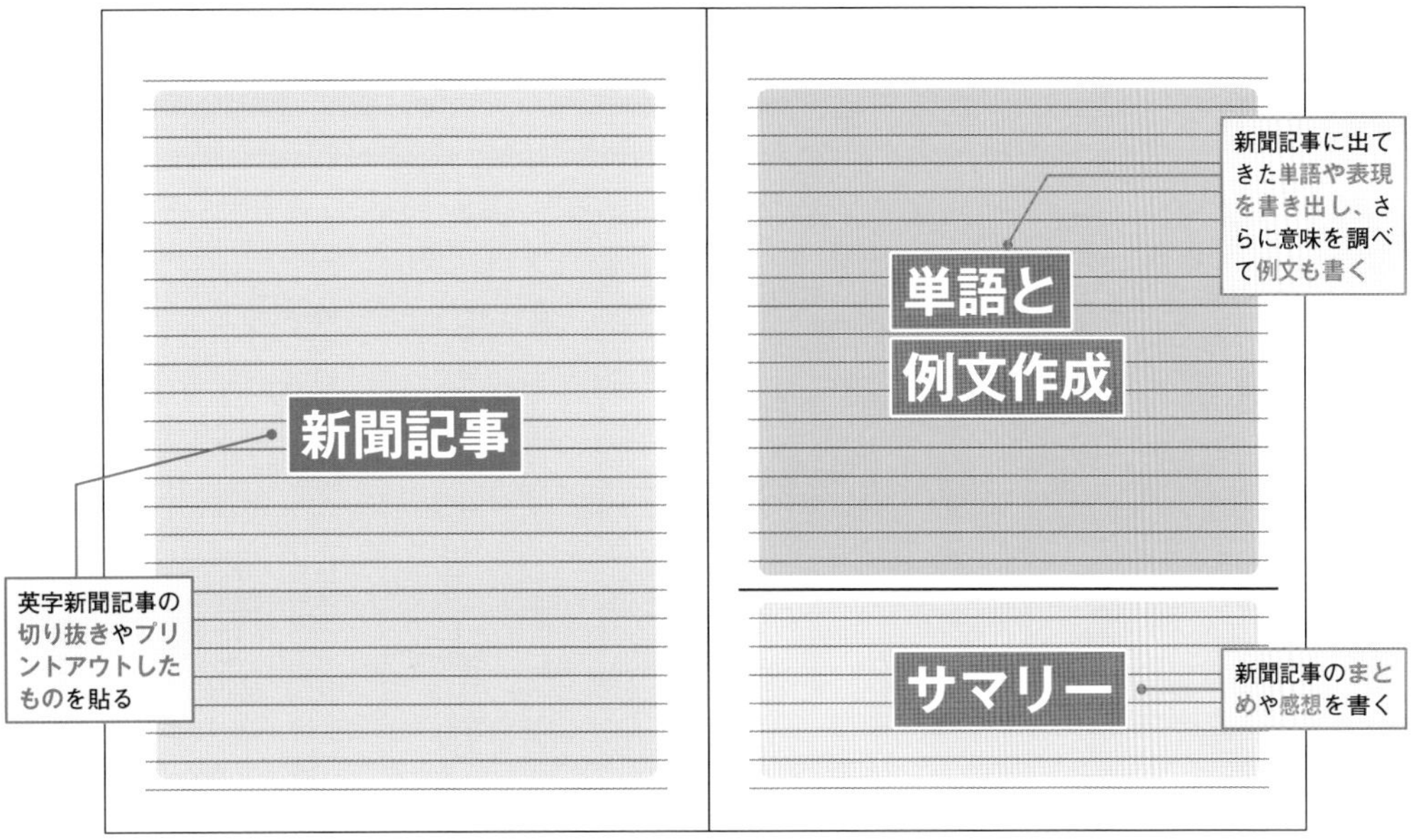
新聞記事
英字新聞記事の切り抜きやプリントアウトしたものを貼る
単語と例文作成
新聞記事に出てきた単語や表現を書き出し、さらに意味を調べて例文も書く
サマリー
新聞記事のまとめや感想を書く

学んだことを、すぐに実践に落とし込むことが重要！

キルに変換させる仕組みは、ノート1冊で作ることができます。

私は、A4サイズのノートを使って、「英語ストックノート」を作りました。私が指導する生徒のなかにも、これを毎日継続したことで、ぐんぐん英語力が伸びた人がたくさんいます。

新聞記事からの学びをスキルに変える

それでは、英語ストックノートの作り方を説明しましょう。

上図のように、A4サイズのノートは見開きで使います。

左ページには、「BBC（英国放送協会）」などの英字新聞記事をプリントアウトして貼ります。新聞記事は面積が広くなるので、それを貼るには大きめのA4ノートが最適です。

そして右ページは、下3分の1くらいに横線を引き、上下を区分けします。上3分の2のスペースには、新聞記事に出てきた単語や表現で覚えたいものを書き出し、さらに意味を調べて例文も書き出します。

下3分の1には、新聞記事のまとめや感想を書きます。

ここでポイントとなるのは、新聞記事に出てきた単語や表現を使って、文章を書いてみることです。つまり、記事から学んだ単語や表現を、すぐに文章で使ってみるということで、学びをスキルに変えやすくなるのです。

英語の表現力がどんどん身についていく

頭で理解することと、できることは違います。

できることを増やしていくためには、学んだことをすぐに実践に落とし込む。やはりこれが重要なのです。

いい文章に触れながら表現を吸収し、自分が使える表現へと発展させる仕組みを作れば、表現力がどんどん身についていく実感を得られます。

英語ストックノートは、あなたの英語力向上に役立つこと間違いなしです。

CHAPTER 4

打ち合わせ・会議・勉強会で役立つ！
［トリニティノート］

まとめ

打ち合わせやセミナーの後、的確な行動にすぐ移せる準備ができるように、ノートのとり方を工夫する。

打ち合わせ用のトリニティノートでは、左側を事前準備用、右側をメモ／疑問点の記入用に分けて使う。

打ち合わせや商談の効果を高めるためには、事前準備がとても重要。打ち合わせ前に相手を知っておくことは、信頼度アップにもつながる。

ノートにメモする際には、業務以外の周辺情報もおさえておくこと。相手といい関係が築けて、仕事がしやすくなることも！

会議で発言する場合、事前にノートにポイントを書き出しておくとよい。すると結論を意識して話すことができ、相手に的確に伝わる。

疑問点を放置しておくと、具体的なアクションにつながらなくなる。だからノートにすぐに書き出し、できるだけ早く解消することが大事。

学びと行動のタイムラグを作らないようにすると、アクションは速くなる。常にアウトプットを意識したインプットを心がけよう。

CHAPTER
5

モヤモヤを解消して心を軽くする！クレンジングノート

Secrets of active note taking skills

「モヤモヤ」もノートが解決してしまう

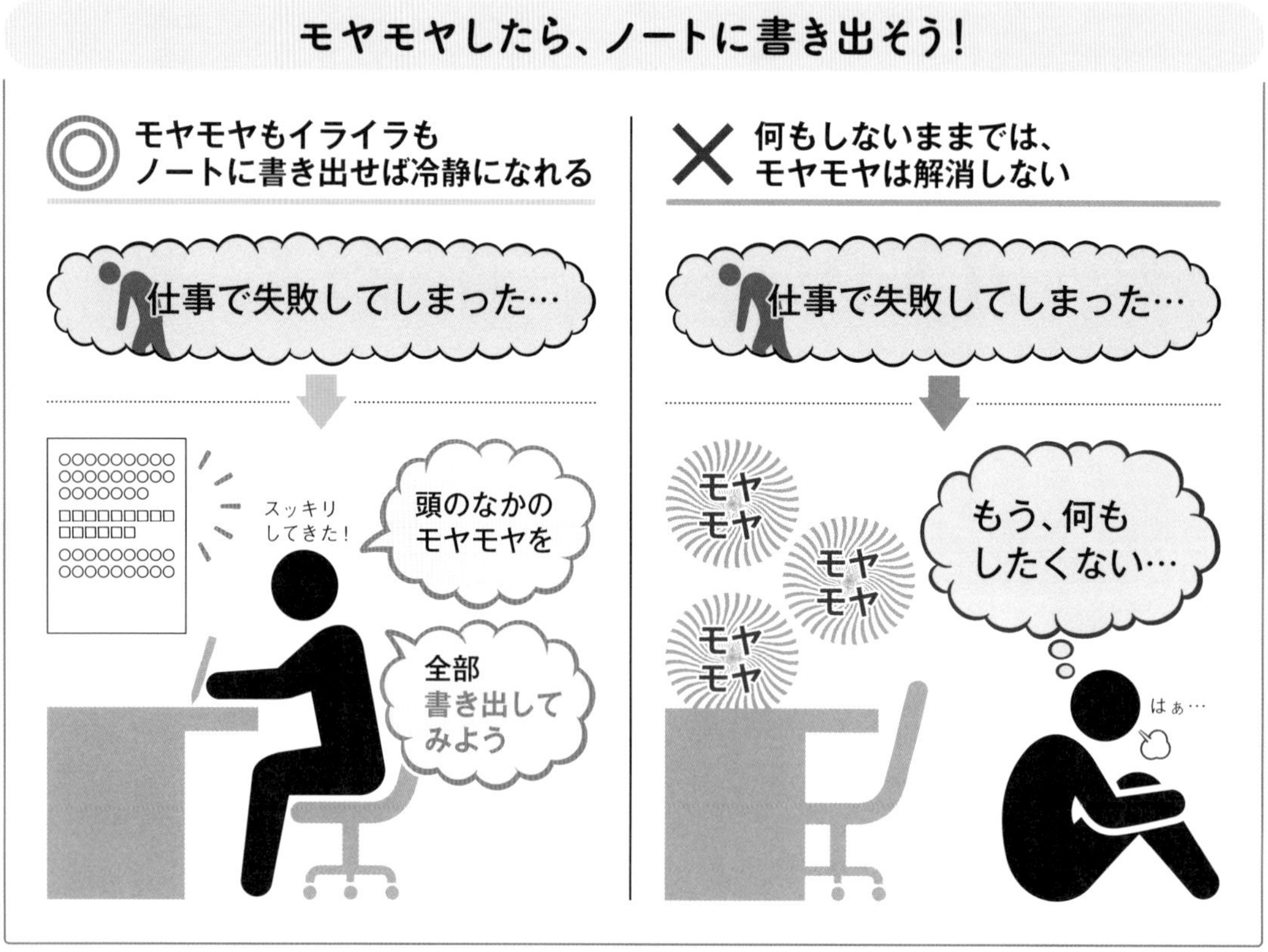
モヤモヤしたら、ノートに書き出そう！
◎ モヤモヤもイライラも ノートに書き出せば冷静になれる
仕事で失敗してしまった…
スッキリしてきた！
頭のなかのモヤモヤを
全部書き出してみよう
× 何もしないままでは、モヤモヤは解消しない
仕事で失敗してしまった…
モヤモヤ
モヤモヤ
モヤモヤ
もう、何もしたくない…
はぁ…

頭のなかがスッキリするクレンジングノート

頭のなかや心がモヤモヤしているときは、「何もしたくない」と思うことでしょう。そのモヤモヤの原因がわからないこともあるでしょう。これは自然なことで、誰しも経験することです。

ここで重要なのは、そのモヤモヤを解消する方法を知っているかどうか、です。私は大学生のときに心理学を学び、紙に思っていることを書き出す効果を知りました。それ以降、頭のなかや心がモヤモヤするときは紙にどんどん書き出していくことを習慣づけています。このノート術をクレンジングノートと呼んでいますが、書けば書くほど、頭のなかがスッキリしていく感覚を味わうことができます。

モヤモヤしたら相談すればいいと思うかもしれませんが、あまり他人に知られたくないときもあるはずです。そんなときに自分と向き合って、思考を整理するためには、ノートが抜群の効果を発揮してくれるのです。

抑え込むと負のスパイラルにはまるだけ

素直な気持ちを書き出すことが大事

心理学者ウェグナーは「皮肉なリバウンド効果」と呼んでいるのですが、「考えてはいけない」と考えれば考えるほど、そのものについて考えてしまうのが人間です。

同様に、問題を抱えたときに、それから目をそらそうとすればするほど、心が重くなっていくことを経験した人も多いでしょう。仕事で失敗したり、プライベートでつらいことがあったりしたとき、それらにフタをしようとすればするほどそのことを考えてしまう、ということは誰にでもある経験だと思います。

感情を抑え込むことは、自分をどんどん追い込んでいくことに他なりません。忘れたければ、忘れようと目をそらすのではなく、素直な気持ちをどんどん書き出していくこと。感情を言葉にして紡いでいく作業によって、心をどんどん軽くすることができますし、自分の感情を客観的に見ることもできるようになっていきます。

忘れたいことを、抑え込まない

早く忘れないと…
考えてはいけない…
考えてはいけない…
あわわ…
ダメだ…忘れられない

「考えてはいけない」と思うほど、そのことを考えてしまう

COLUMN 5

思考のトラップから抜け出す

ノートに書き出すことは、感情が整理されていないときだけでなく、**思考が整理されていないときにも効果がある**とされています。資料を作るときもいきなりパワーポイントで作業するのではなく、まずはアウトラインを書き出しましょう。

私は多くの大学や企業で講義や研修を行っていますが、論理的に考えを整理して、文字や言葉にすることに難しさを感じる人があまりにも多いことに、いつも大きな問題を感じています。

私は英語を教える機会が多いのですが、英語以前の問題で、思考の整理そのものを苦手としている人が非常に多いと感じるのです。そういう人はいきなり紙に文章を書き出したり、準備せずに行き当たりばったりで話を始めようとしてしまいます。**準備なしにスタートするので、行き詰まって立ち往生してしまう**のです。そして、やがて行動ができなくなってしまいます。

一方で、プレゼンや文章がうまい人は、まず紙にアイデアをシンプルに書き出し、それをまとめながら話す・書くことを実践しています。つまり、**思考を整理したいときは、まずは考えていることを書き出してみることが大事**です。

そのなかでつながりがあるものをどんどんつなげていって、いらないものを消すことをしてみましょう。脳内にあるアイデアもやはり文字にしてみることで、本当に必要なのか、そうでないのかを判断できるようになります。

思考が行き詰まってしまうときは、不必要なものや苦手なものに自分を追い込んでしまっていることが多いのです。

そのような思考のトラップから抜け出すためには、必要でないものをカットしていくことが大事で、それは書き出すことでできるようになっているのです。

考えていることを
ノートに
書き出すことで
必要なものが
どれなのか
わかったぞ！
思考が
整理
できた！
いらない
もの
必要なもの
必要なもの
いらない
もの
必要なもの

まずは紙1枚に書きなぐってみる

頭のなかのものをひたすら書き出す

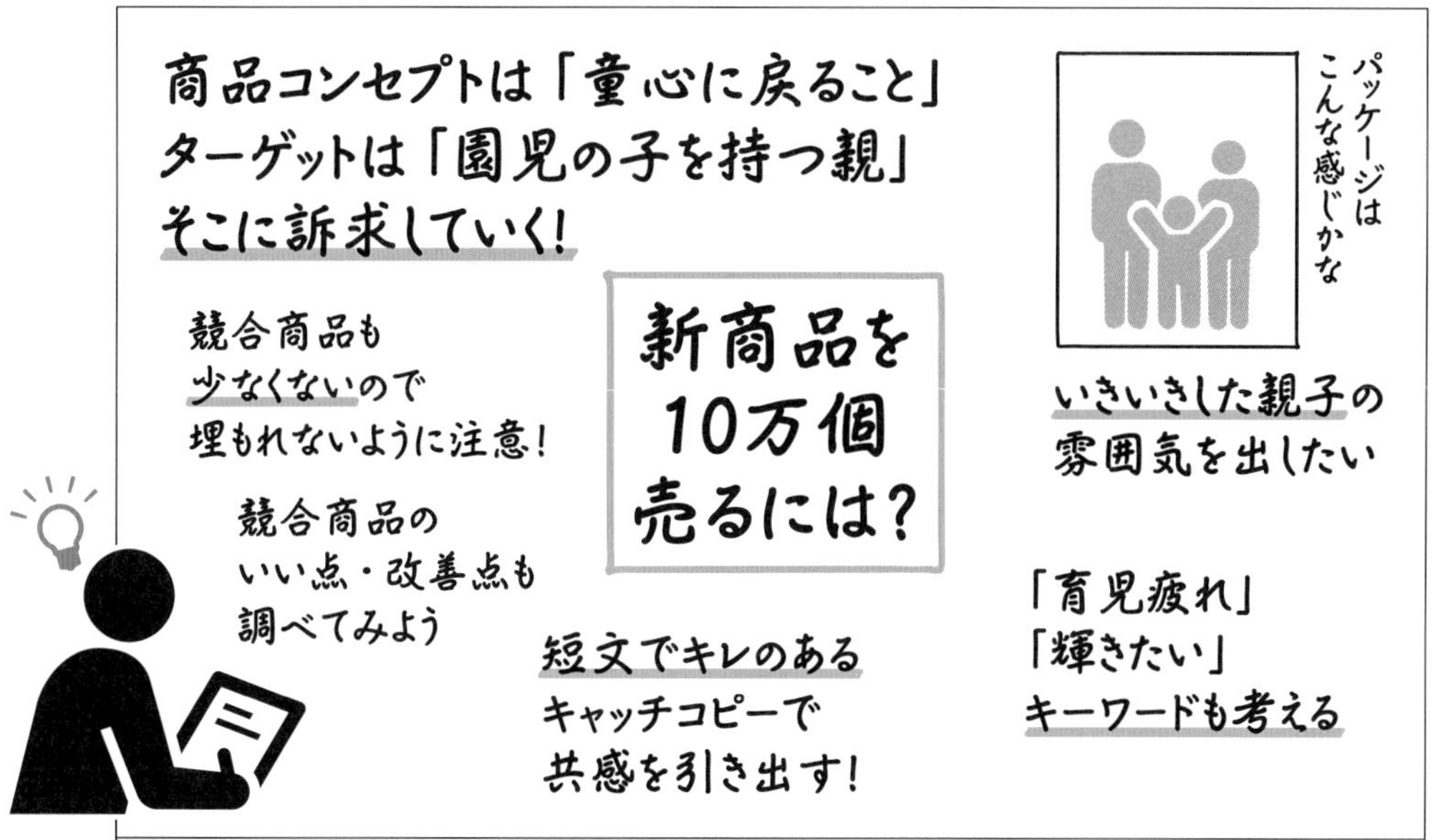
商品コンセプトは「童心に戻ること」
ターゲットは「園児の子を持つ親」
そこに訴求していく！
パッケージはこんな感じかな
新商品を10万個売るには？
競合商品も少なくないので埋もれないように注意！
競合商品のいい点・改善点も調べてみよう
いきいきした親子の雰囲気を出したい
「育児疲れ」「輝きたい」キーワードも考える
短文でキレのあるキャッチコピーで共感を引き出す！

書いてみることで頭のなかが整理され、アイデアが浮かぶ

真っ白な紙1枚だけに意識を向ける

私がオススメする方法は、A4サイズの紙1枚を用意して、頭のなかにあるもの、心のなかにあることを何も考えずにひたすら書きなぐることです。

体裁や言葉のつながりを考える必要はありません。ひたすら思いついた言葉を紙に吐き出していく、そんなイメージで取り組むといいでしょう。そして、言葉を出しつくしたら紙を見直して、情報をつなげたり、消したりしながら整理していきます。文字を書いているうちに頭のなかが整理され、いかに偏った考え方にとらわれていたのかに気づくこともあります。

パソコンを使う一番大きなデメリットは、メールが気になってしまったり、気が散りやすいものが多い点です。集中して一気に書き出すことが重要ですから、他のことで気が散ると、脳内の整理は難しくなります。真っ白な紙1枚だけに向き合うと、自然とそこだけに意識が向くようになります。

いい質問で脳のスイッチを入れる

疑問文にすることで、脳のスイッチを入れやすくなる

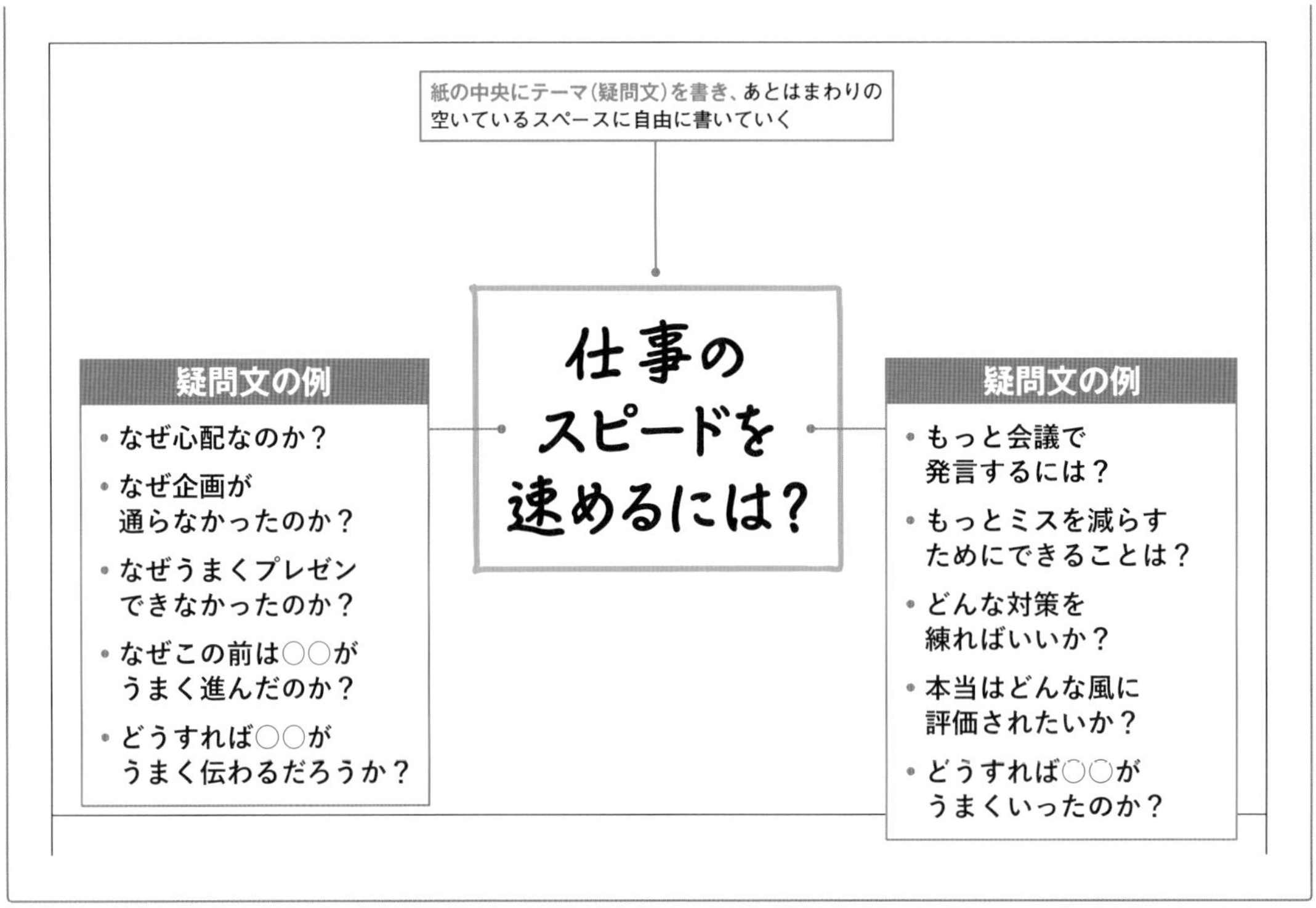
紙の中央にテーマ（疑問文）を書き、あとはまわりの空いているスペースに自由に書いていく
仕事のスピードを速めるには？
疑問文の例
・なぜ心配なのか？
・なぜ企画が通らなかったのか？
・なぜうまくプレゼンできなかったのか？
・なぜこの前は○○がうまく進んだのか？
・どうすれば○○がうまく伝わるだろうか？
疑問文の例
・もっと会議で発言するには？
・もっとミスを減らすためにできることは？
・どんな対策を練ればいいか？
・本当はどんな風に評価されたいか？
・どうすれば○○がうまくいったのか？

中央のテーマは「疑問文」で書く

私がオススメをしたいのは、A4サイズの紙を横にして、1件1ページで書き込んでいく方法です。

まず、紙の中央に、テーマをさっと書き込みます。あとは空いているスペースに、自由にどんどん書いていきます。先述のとおり、つながりや体裁などは一切気にせずに書いていきましょう。

中央に書くテーマは、「疑問文」にすることがポイントです。これによって、脳のスイッチを入れやすくなります。

たとえば、

- **なぜ○○なのか?**
- **どうすれば○○できるのか?**
- **本当は○○なのか?**
- **どんな○○がいいのか?**
- **○○のメリットは?**
- **もっと○○するには?**

といった言葉を使って、疑問を組み立てるといいでしょう。このテーマも、つながりや体裁などは気にする必要はありません。自由に書いてみましょう。

52

「そもそも」に戻って考える

凝り固まった考え方をノートがほぐしてくれる

これまでの成功体験から生まれた「〇〇することが当たり前だ」という思考癖は、何かを判断するうえでは便利ですが、固定観念に縛られてしまう原因にもなります。

私も、そんな思考癖から、仕事が行き詰まった時期がありました。悩みながらなんとか解決しようと、「なぜ、あの案件は行き詰まっているのか」と原因を探るために、ノート1枚に書き出してみたのです。

すると、「こうすべきだ」という根本にある思考が間違っていたことに気づきました。「そもそもこれでいいのか？」と、当然だと思っていたことに問題があったのです。

今は時代の流れが早いため、これまでの成功体験が通用しないこともあります。行き詰まったときには、自分の根本にある考えを疑ってみて、「本当に〇〇しなければならない？」ということを書き出してみましょう。そして再度考え直してみると、凝り固まった思考をほぐすことができます。

行き詰まったら、ノートに書き出してみる！

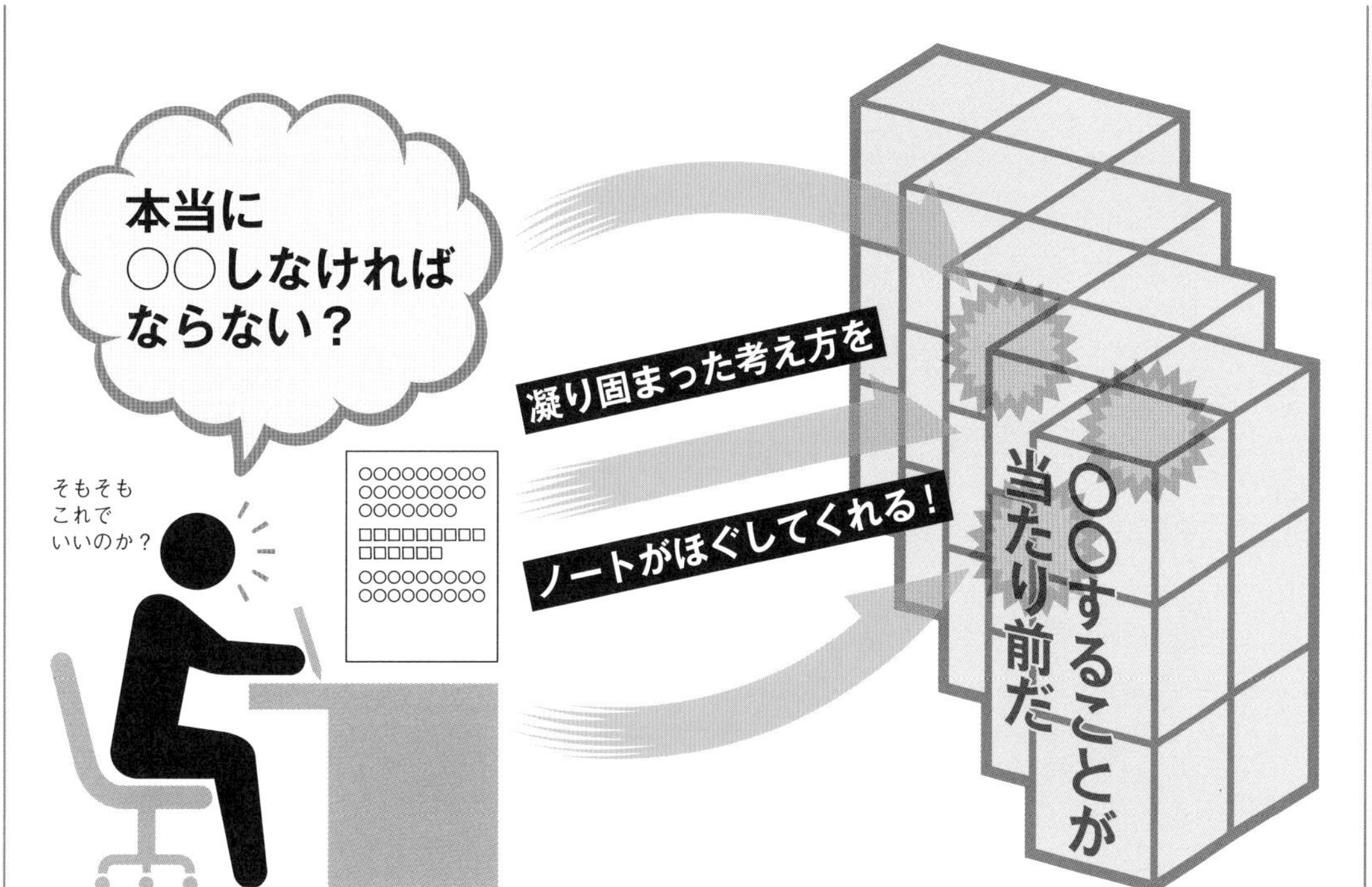
本当に
〇〇しなければ
ならない？
そもそも
これで
いいのか？
凝り固まった考え方を
ノートがほぐしてくれる！
〇〇することが
当たり前だ

言葉を選ぶと効果が半減する

かっこいい言葉や飾る言葉は使わない

他人の目を気にしてしまうと、本当の感情を押し殺して、ちょっと格好もつけてみたくなり、本心をさらけ出せないこともあると思います。

書くときは、かっこいい言葉や自分を飾る言葉を使ってはいけません。「他人に見られたら、ちょっと恥ずかしい言葉」くらいがちょうどいいのです。

そもそも誰かに見せる必要もないノートですし、頭と心のなかから、もつれたものを素直に引っ張り出すことが重要です。自分のなかに浮かんでくる言葉を、そのまま素直にどんどん紙にぶつけていきましょう。

変に見栄をはったりして、綺麗な言葉で書こうとしたら、自分の心の奥底までのぞき込むことはできなくなってしまいます。

書くときは「息を止めて、頭のなかのものを一気に吐き出す」といったイメージで、自分の言葉を大切にしましょう。

飾る言葉は使わず、一気に書き出す

タイマーで3分の
時間制限を設ける
3 minutes
言葉や体裁を気にせず、
感情や考えを書き出す
3分で
一気に書いて
みよう！

時間制限を設ければ、集中力が高まり、モヤモヤを一気に解消できる

54

大切なことがどんどん見えてくる

悩みを自力で「解決できる」と「解決できない」に分ける

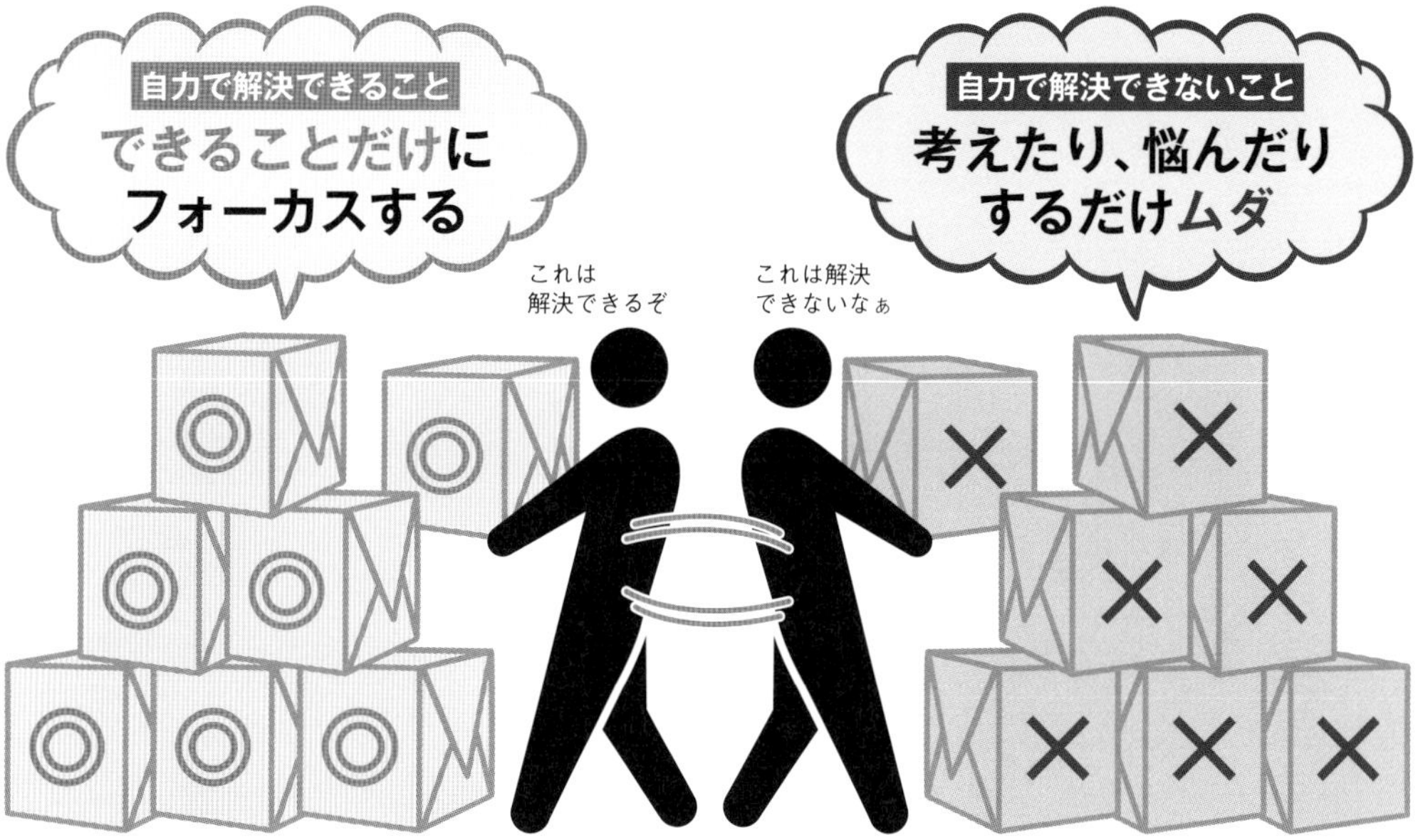
自力で解決できること
できることだけにフォーカスする
自力で解決できないこと
考えたり、悩んだりするだけムダ
これは解決できるぞ
これは解決できないなぁ

書き出すことで悩みのもとがわかると、スッキリする

自分にとって最大の関心事が明確になる

思いついたことをノートにどんどん書き出すことで、大切なことがどんどん見えるようになっていきます。モヤモヤしたものを書き出していくと、自分で解決できるものと、自分では解決できないものが何かわかってくるからです。

不安になるあまり、行動力が低下してしまうことはよくあることですが、心配事のなかには、自分にはどうしようもないこともあるものです。

自分にはどうすることもできないことに、心を悩ませていても仕方ありません。自分にできることにフォーカスするべきなのです。

頭のなかにあることをどんどん言葉にしていくことで、自分にとって最大の関心事が明確になります。すると、「こんなちょっとしたことに悩む必要はない」と、客観的にとらえることができるようになります。結果的に、頭のなかがスッキリと整理されていくことをあなたも感じるはずです。

自分にできることにフォーカスする

「自分にできることは何か？」と自問してみる

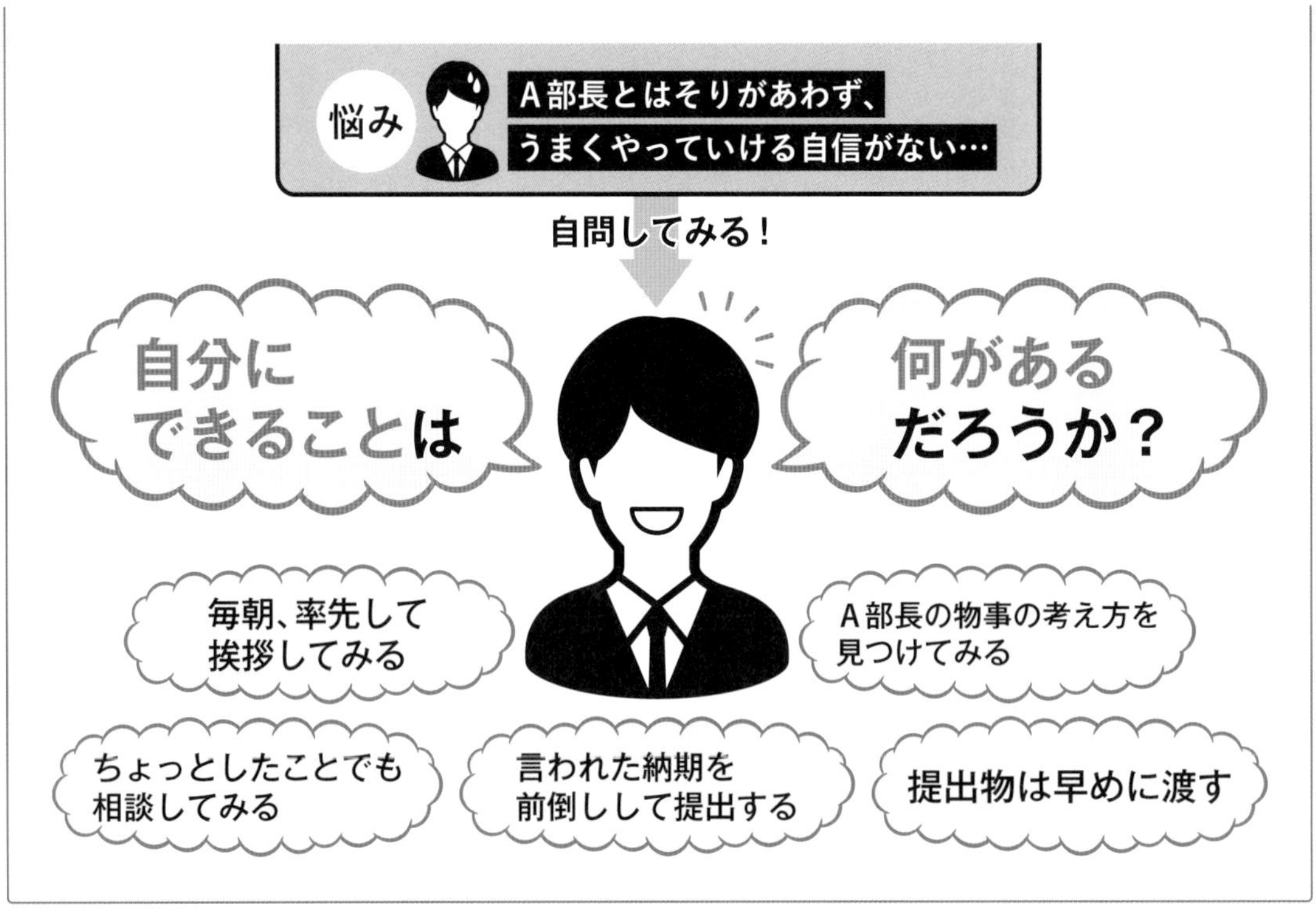
悩み
A部長とはそりがあわず、
うまくやっていける自信がない…
自問してみる！
自分にできることは
何があるだろうか？
毎朝、率先して挨拶してみる
A部長の物事の考え方を見つけてみる
ちょっとしたことでも相談してみる
言われた納期を前倒しして提出する
提出物は早めに渡す

自分の考え方を変えるほうがラク

世の中には、自分の力が及ぶものと、そうでないものがあります。なかでも私たちの悩みの多くは、対人関係が原因です。

しかし、他人を変えようと必死になっても、極めて難しいものです。動かせない岩を動かそうとしても、動かないのだから徒労で終わるだけ。何も進展はしません。

ならば、自分の考え方を変えるほうがよほどラクです。動かない岩を無理やり動かそうとするのではなく、動かない岩を避けて、違うルートを探してみましょう。

悩みをどんどん書き出すことで、原因を見つけられるようになります。その原因を振り返ってみると、動かせない岩を動かそうとしていたことに気づくでしょう。

動かせない岩がモヤモヤの原因だとわかったら、「自分にできることは何か？」という問いを自分に投げかけます。すると自分の視点が変わるので、問題がすっと解消していきます。

56

99%のアイデアと1%のひらめき

思いついたものは吟味せずに書き出す！

アイデアを出すときに、すぐやる人は1つのアイデアを得るために100個を書き出して、99個を捨てるという覚悟を持っています。

成果を出すことは、ボウリングでストライクを取るために重要なセンターピンを見つけることと似ています。しかし仕事や日常では、何がセンターピンかは簡単にはわかりません。

そのためには、思いついたアイデアを100個出して、そこから1つのセンターピンのようなアイデアを探し出すといったアプローチが重要です。結果的には捨てることになる99個のアイデアがあったからこそ、1つの宝石の原石に出会うことができるのです。

だから、アイデアを出すときはどんどんノートに書いていく。「こんなのはどうせ使わないや」と思わず、思いついたものはその時点では吟味せず、書き出すことに集中する。これがダイヤの原石に出会う方法なのです。

たった1つのセンターピンを見つけるために！

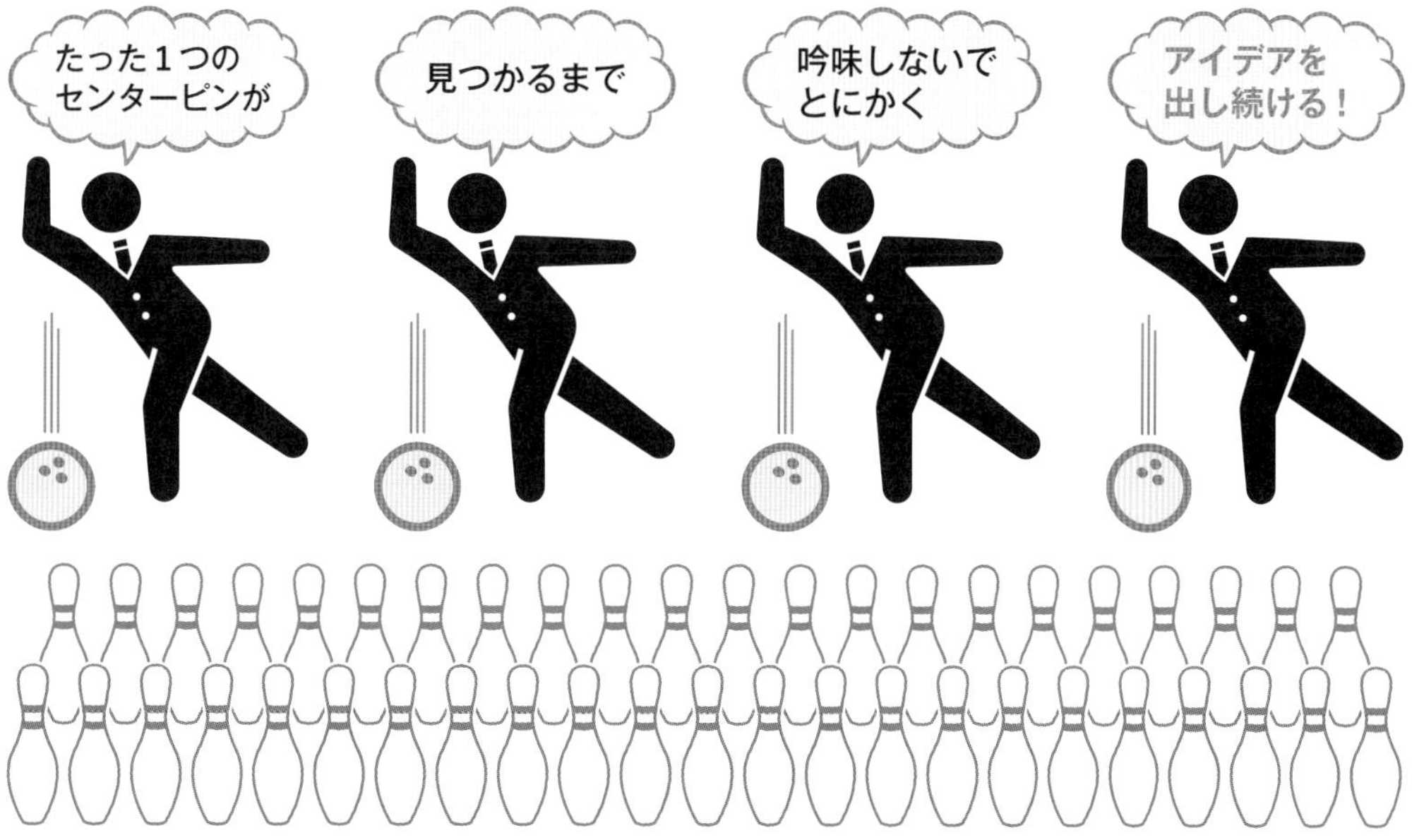
たった1つのセンターピンが
見つかるまで
吟味しないでとにかく
アイデアを出し続ける！

思いついたアイデアをどんどん出して、1つの正解を探す

CHAPTER 5

モヤモヤを解消して心を軽くする！
［クレンジングノート］

まとめ

頭のなかや心がモヤモヤするときは、紙にどんどん書き出すと、頭がスッキリして、思考を整理できる。

最初に書くテーマは、疑問文にすることがポイント。これによって、脳のスイッチを入れやすくなる。

成功体験から生まれた「○○することが当たり前だ」という思考癖は、固定観念に縛られてしまう原因にもなる。

自分の根本にある考えを疑い、「本当に○○しなければならない？」と考え直してみると、凝り固まった思考をほぐすことができる。

書くときは、かっこいい言葉や自分を飾る言葉は使わない。「他人に見られたら、ちょっと恥ずかしい言葉」くらいがちょうどいい。

モヤモヤしたものを書き出していくと、自分で解決できるものと、自分では解決できないものが何かわかってくる。

自分の力が及ばない悩みなら、自分の考え方を変えるほうがラク。「自分にできることは何か？」と自分に問いかけてみよう。

CHAPTER
6

もっと
行動したくなる!
トリガーノート

Secrets of active note
taking skills

思いついたら とにかくメモをする

気づいたことをノートにストックしておく

私は、常にA6サイズの小さいノートを携帯しています。このノートをトリガーノートと呼んでいます。トリガーとは銃の引き鉄のことですが、「きっかけ」の意味もあります。

アイデアは、ふとした瞬間に頭に浮かぶことがあります。探し物は探しているときには見つからず、ふとしたときに見つかることがよくありますよね。アイデアも同じで、出さないといけないときには出ず、休憩中や外出したときなどにふと浮かんできたりします。

私たちは毎日たくさんの気づきを得ながら生きていますが、気づきをストックしていくことで新しいアイデアが生まれることがあります。だから私はいつもトリガーノートを携帯しながら、気づいたことや面白いと思ったことなどをストックしています。「あんなこともやってみたい」「このアイデアは、これやあれに応用できるかもしれない」などと書き留めます。

A6サイズのノートを、日頃から持ち歩くようにする

普段着るジャケットに

NOTE BOOK
A6

通勤カバンに

NOTE BOOK
A6

ジャケットやカバンにノートがあれば、すぐにメモできる！

58

すぐやる人は なぜいつもメモをするのか？

常にメモをとる習慣を身につけよう

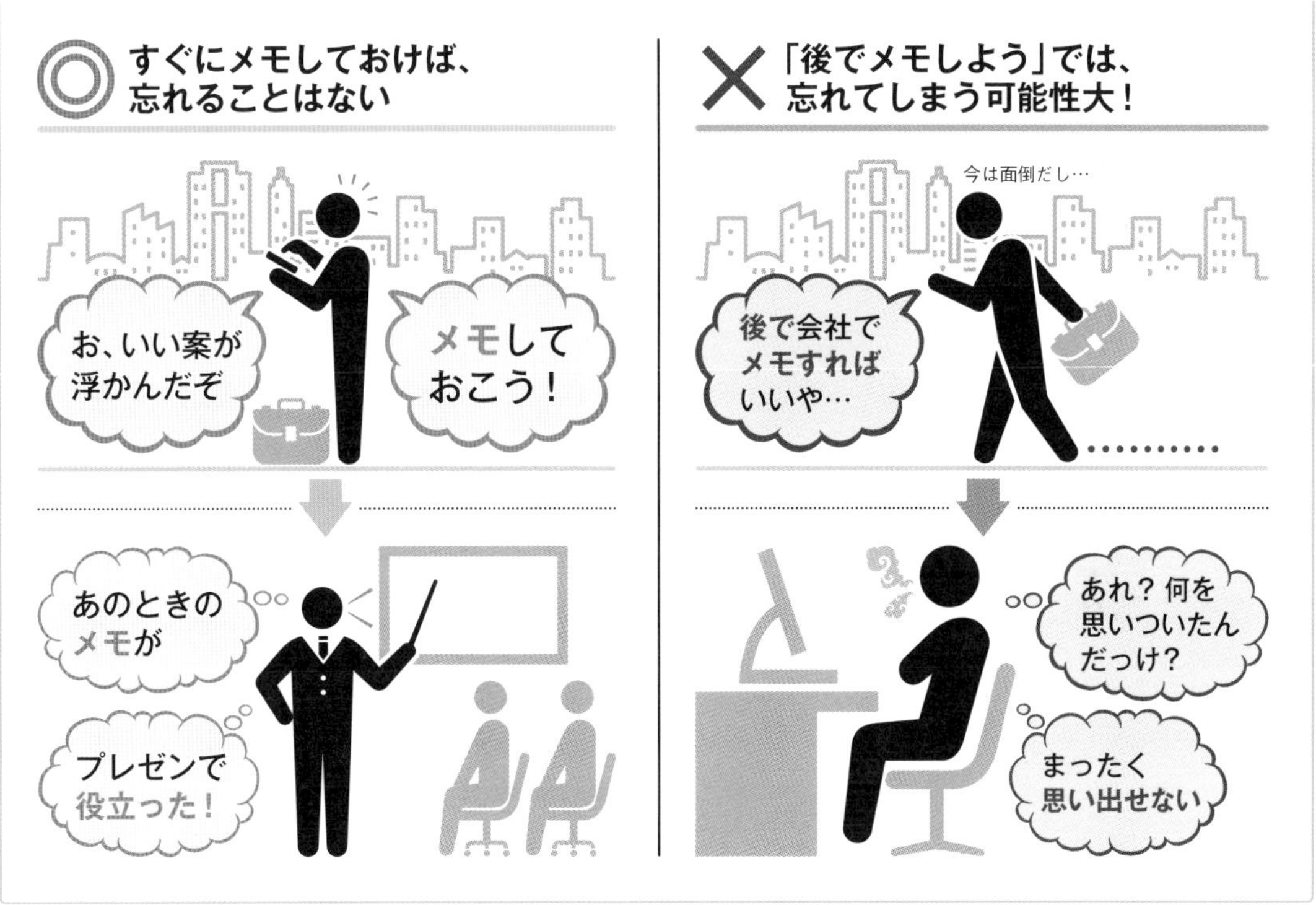
◎ すぐにメモしておけば、忘れることはない
お、いい案が浮かんだぞ
メモしておこう！
あのときのメモが
プレゼンで役立った！
× 「後でメモしよう」では、忘れてしまう可能性大！
今は面倒だし…
後で会社でメモすればいいや…
あれ？ 何を思いついたんだっけ？
まったく思い出せない

思いついたことは即座に文字にする！

51ページで「エビングハウスの忘却曲線」の話をしましたが、人間の脳は、覚えようとしたことでも20分後には42％のことを忘れてしまいます。

そのため、思いついたことや感じたことは、即座に文字にするようにします。いいアイデアが浮かんでも、「後でメモしよう」と思っているうちに、「あれ？　何だっけ？」と忘れてしまった経験のある人も少なくないでしょう。事前に買い物リストを作っておかないと、「あれを買い忘れた……」と帰宅して思い出すのと同じです。

「これが終わったら、メモしておこう」という一瞬の隙に、すべてが流れていってしまいます。アイデアは、流星のようなものです。アイデアはそのままでは何の形にもならないので、行動に起こしていかないといけないわけですが、まずは「メモをする」「メモのストックを作っていく」ことが大切なのです。

心に引っかかったものはなんでもメモをする

今やっていることをストップしてでもメモをとる！

カフェで耳にした隣のグループの話
美容室で読んだ雑誌で気になった言葉
面白いネーミングの商品
本で紹介された偉人の名言
思わず「買いたい」と思った本
お昼の番組で紹介されたスイーツ
C.D. NOTEBOOK

「面白い」「これいいな」と思ったことは、すぐにメモしよう！

「面白い」と思ったことはメモをとる習慣をつける

街を歩いていて、「面白い」と思ったネーミングやキャッチコピーなどもメモします。

私は、流行っているお店に行くことが好きです。流行っているものには理由が必ずありますので、それを知りたいという好奇心が、好きの源泉です。

タクシーのなかから目にしたお店の名前、美容室で読んだ雑誌で気になった言葉、面白いネーミングの商品、カフェで耳にした隣のグループの会話など。私が心理学を学んだのは、社会は人が集まってできていることに興味を持ったからです。

人が何に関心を持ち、何に悩んでいるのかなどに意識を向けることは、たくさんのアイデアを与えてくれます。「いい言葉だ」と思ったり、「これは面白い」と感じたり、「この表現を参考にしよう」と思いついたりしたときには、今やっていることをストップしてでも、メモをとる習慣をつけましょう。

好奇心が行動を刺激する

メモの習慣が好奇心の刺激につながる

メモをとる習慣がつくと、常にアンテナが立っている状態になります。面白いネタがストックされて感覚がオープンになり、次々とアイデアが浮かぶようになります。

子どもの頃に持っていた好奇心は、大人になると〝経験〟のフィルターによって失われてしまうことがあります。すると脳は閉鎖的で排他的になってしまい、いいアイデアは浮かばず、新しいチャレンジにも億劫になってしまいます。気になったものをメモする習慣をつけるだけで、好奇心を刺激できる仕組みを持てるようになります。

私は、下図にあるマイケル・ジョーダンの名言を大切にしています。行動しなければ成功を手にすることはできませんから、面白いと思ったことは試してみればいいのです。うまくいけばもっと大きなチャレンジにすればいいし、ダメなら改善点を考えたり、そもそもの必要性を考えてみれば、次の行動につながっていくのです。

私が大切にしているマイケル・ジョーダンの名言

9000回以上
シュートを外し、
300試合に敗れ、
決勝シュートを任されて
26回も外した。

人生で何度も何度も
失敗してきた。

だから私は成功した。

疑問や目標もどんどん書き込む

疑問がきっかけで新しいアイデアが浮かぶことも

疑問に思ったことも、どんどん書き留めていきましょう。いい質問は脳の回転を速めますし、疑問がきっかけで新しいアイデアが浮かぶこともあります。

また、決意や目標もすぐに文字にしたほうがいいでしょう。頭のなかで目標を考えていると抽象的になりがちですが、文字で書くことによって、目標が明確になる効果が期待できます。

人は目に見えるものに影響を受けやすいので、ノートを見直すことで、自分のなかで目標を再確認することもできるのです。トリガーノートを見直して、書き込んだ目標をリフレクションノートの目標ページに反映させておくと効果的です。

トリガーノートには、気づきや感じたこと、ひらめいたアイデア、疑問に思ったこと、思い浮かんだ目標など、基本的にはなんでも、1つにつき1ページを使って書き込んでいきましょう。

思いついたら、すぐに文字にしてみる

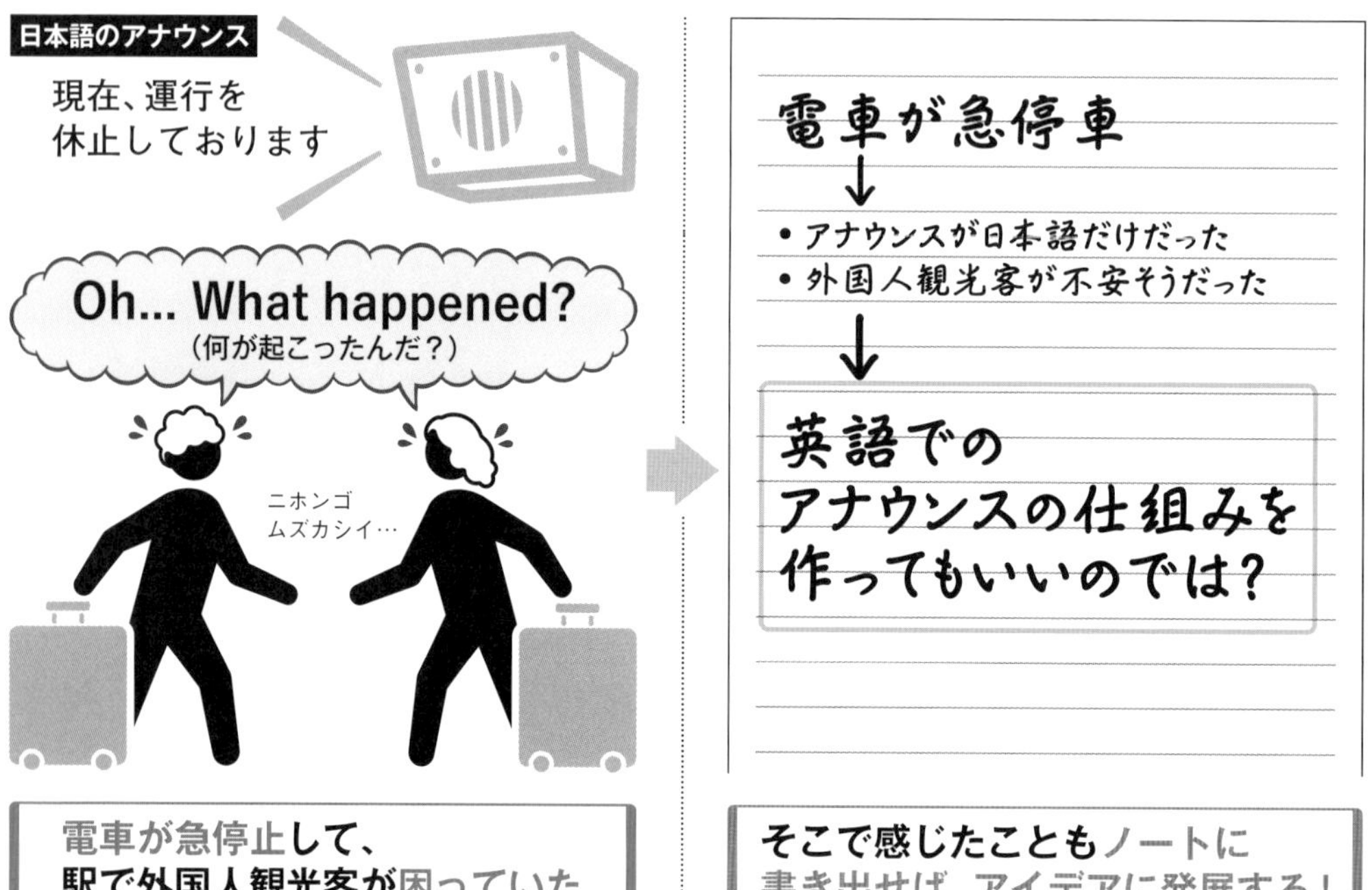
日本語のアナウンス
現在、運行を休止しております
Oh... What happened?
(何が起こったんだ？)
ニホンゴ
ムズカシイ…
電車が急停車
↓
• アナウンスが日本語だけだった
• 外国人観光客が不安そうだった
↓
英語でのアナウンスの仕組みを作ってもいいのでは？

電車が急停止して、駅で外国人観光客が困っていた

そこで感じたこともノートに書き出せば、アイデアに発展する！

COLUMN 6

書くことの効果は絶大！

書くことの効果は、心理学の多くの研究で証明されています。

たとえば、米テキサス大学のジェームズ・ペネベーカー教授は、自分の心のなかにあるものを15〜20分間かけて自由に書くことで、**感情は整理されて前向きになれる**としています。

ここでのポイントは、**非公開に書く**ということ。それによって心理的ストレスは軽減されていくのです。

また、ウォルト・ディズニーは新しいプロジェクトがスタートしたら、まず、壁一面に紙を張り出して「どうすればもっとプロジェクトはよくなるか」という質問を投げかけたそうです。その答えを社員全員に書き込んでもらうことで、社員の能力を引き出していきました。

考えるという作業は、考えているフリで時間が過ぎていくことも少なくありません。

新しいアイデアを考えようとして、デスクについて腕組みをしてもよいアイデアが浮かばず、いたずらに時間を使ってしまった経験、ありませんか？

だから**アイデアを考え出すときには、どんどん書き出していく**。全世界で知らない人はいない、あのディズニーのクリエイティビティを支えたものも書き出すということだったのです。

私たちがその手法をとり入れない手はありません。

あなたも、これから**アイデアを考えるときには紙とペンを用意してから行う**ようにしましょう。

自由に書くことで、感情は整理されて前向きになれる
アイデアを考え出すときには、どんどん書き出していく
非公開に書くことがポイント
さあ、紙とペンを用意して書き出そう！

CHAPTER 6

もっと行動したくなる！

［トリガーノート］

まとめ

気づきをストックすることで、新しいアイデアが生まれることがある。
だから、気づいたことや面白いと思ったことなどはすぐにメモをする。

人間の脳は、20分後には42％のことを忘れてしまう。
「これが終わったら、メモしておこう」は禁物。すぐに文字にしよう。

人が何に関心を持ち、何に悩んでいるのかなどに意識を向けることは、
たくさんのアイデアを与えてくれる。

「これは面白い」「この表現を参考にしよう」と思いついたときには、
今やっていることをストップしてでも、メモをとる習慣をつけよう。

気になったものをメモする習慣をつけるだけで、
好奇心を刺激できる仕組みを持てるようになる。

疑問に思ったことも、どんどん書き留める。いい質問は脳の回転を速め、
また疑問がきっかけで新しいアイデアが浮かぶこともある。

トリガーノートを見直して、書き込んだ目標を
リフレクションノートの目標ページに反映させておくと効果的。

おわりに

ときには立ち止まって、自分の置かれた状況を整理しながら、頭のなかにあるものをとり出してみる

ノートで自分の状況を客観的にとらえる

ノートは、自分と向き合うための最強のツールだと思っています。

私たちが毎朝家を出るとき、鏡の前に立って髪やジャケットの襟が整っているかを確認するのは、自分で自分のことを直接見ることはできないからです。そのとき、容姿をチェックするために、鏡というツールを使います。

これと同じく、自分の頭のなかを自分でのぞき込むのは難しいことです。自分のことはわかっているようで、わかっていないものなのです。

そのため、本書では「ノートという誰にでもすぐ活用できるツールを使うことで、自分のことや自分の置かれている状況を客観的にとらえることができる」とお伝えしてきました。

日々の活動に追われて過ごしていると、「自分は本当は何がしたいのか」「これからどうなりたいのか」がどんどん見えなくなってきます。これでは、目標や夢を持つことは難しいでしょう。

前に突き進むことも大事ですが、ときには立ち止まって、自分の置かれた状況を整理しながら、頭のなかにあるものをとり出してみることも同じように大事です。

すべてのことが順調に進めばいいですが、実際はそううまくはいかないものです。順調なときは行動的になれますが、壁にぶつかったときは、思うように自分を動かすことができないでしょう。

行動することが楽しくなっていく！

本書でご紹介した「タスコンノート」を活用して、やることをサクサク消化していけば、自分の時間を増やせます。

「リフレクションノート」で課題を見つけ、「トリニティノート」で学びを行動につなげていけば、成長できる喜びを感じることができます。

「クレンジングノート」でモヤモヤした考えや思いをシンプルにひも解き、「トリガーノート」で関心のあることを書き留めていけば、好奇心を刺激できます。

一度にすべてのノート術を習得することは難しいと思いますが、シンプルなものばかりですので、まずはどれか1つを試してみてください。

きっとこれまでと違う気づきが得られると思いますし、行動することが楽しくなっていくはずです。

ここまでお読みいただき、感謝しております。

あなたの明日が、今日よりも素晴らしいものになることを祈っております。

塚本 亮

PROFILE

塚本 亮 Ryo Tsukamoto

1984年京都生まれ。同志社大学卒業後、ケンブリッジ大学大学院修士課程修了（専攻は心理学）。

偏差値30台、退学寸前の問題児から一念発起して、同志社大学経済学部に現役合格。その後ケンブリッジ大学で心理学を学び、帰国後、京都にてグローバルリーダー育成を専門とした「ジーエルアカデミア」を設立。心理学に基づいた指導法が注目され、国内外の教育機関などから指導依頼が殺到。これまでのべ4000人に対して、世界に通用する人材の育成・指導を行ってきている。

また、映画『マイケル・ジャクソン THIS IS IT』のディレクター兼振付師であるトラヴィス・ペイン氏をはじめ、世界の一流エンターテイナーの通訳者を務める他、インバウンドビジネスのアドバイザリとしても活躍。2020年にはＪリーグを目指すサッカークラブ「マッチャモーレ京都山城」を設立。

主な著書に『ネイティブなら12歳までに覚える 80パターンで英語が止まらない！』（高橋書店）、『頭が冴える！ 毎日が充実する！ スゴい早起き』（すばる舎）、『「すぐやる人」と「やれない人」の習慣』、『「すぐやる人」の読書術』（明日香出版社）などがある。

〈図解〉「すぐやる人」のノート術

2022年12月18日 初版発行
2024年 9月24日 第18刷発行

著者 塚本亮
発行者 石野栄一
発売 明日香出版社
〒112-0005 東京都文京区水道 2-11-5
電話 03-5395-7650
https://www.asuka-g.co.jp

印刷・製本 シナノ印刷株式会社

ISBN 978-4-7569-2245-8